**FOLIO
JUNIOR**

Le Club des Baby-Sitters

Ann M. Martin

Le Club
des Baby-Sitters

4. Pas de panique,
Mary Anne !

Illustrations de Karim Friha

GALLIMARD JEUNESSE

Voici le portrait
des sept membres du

Club
des Baby-Sitters...

NOM : Kristy Parker, présidente du club
SA TENUE PRÉFÉRÉE : jean, baskets et casquette.
ELLE EST... fonceuse, énergique, déterminée.
ELLE DIT TOUJOURS : « J'ai une idée géniale... »
ELLE ADORE... le sport, surtout le base-ball.

NOM : Mary Anne Cook,
secrétaire du club
SA TENUE PRÉFÉRÉE :
toujours très classique,
mais elle fait des efforts !
ELLE EST... timide,
très attentive aux autres
et un peu trop sensible.
ELLE DIT TOUJOURS :
« Je crois que je vais
pleurer. »
ELLE ADORE... son chat,
Tigrou, et son petit ami, Logan.

NOM : Lucy MacDouglas,
trésorière du club
SA TENUE PRÉFÉRÉE :
tout, du moment que c'est
à la mode...
ELLE EST... new-yorkaise
jusqu'au bout des ongles,
parfois même un peu snob !
ELLE DIT TOUJOURS :
« J'♥ New York. »
ELLE ADORE... la mode,
la mode, la mode !

NOM : Carla Schafer, suppléante
SA TENUE PRÉFÉRÉE :
un maillot de bain pour bronzer
sur les plages de Californie.
ELLE EST... végétarienne,
cool et vraiment très jolie.
ELLE DIT TOUJOURS :
« Chacun fait ce qu'il lui
plaît. »
ELLE ADORE... le soleil,
le sable et la mer.

NOM : Claudia Koshi,
vice-présidente du club
SA TENUE PRÉFÉRÉE :
artiste, elle crée ses propres
vêtements et bijoux.
ELLE EST... créative,
inventive, pleine de bonnes
idées.
ELLE DIT TOUJOURS :
« Où sont cachés mes
bonbons ? »
ELLE ADORE... le dessin,
la peinture, la sculpture
(et elle déteste l'école).

NOM : Jessica Ramsey, membre junior du club
SA TENUE PRÉFÉRÉE : collants, justaucorps et chaussons de danse.
ELLE EST... sérieuse, persévérante et fidèle en amitié.
ELLE DIT TOUJOURS : « J'irai jusqu'au bout de mon rêve. »
ELLE ADORE... la danse classique et son petit frère, P'tit Bout.

NOM : Mallory Pike, membre junior du club
SA TENUE PRÉFÉRÉE : aucune pour l'instant, elle rêve juste de se débarrasser de ses lunettes et de son appareil dentaire.
ELLE EST... dynamique et très organisée. Normal quand on a sept frères et sœurs !
ELLE DIT TOUJOURS : « Vous allez ranger votre chambre ! »
ELLE ADORE... lire, écrire. Elle voudrait même devenir écrivain.

Ce livre est dédié à Claire et Margo,
Claire DuBois Gordon et Margo Méndez-Penate,
promotion 2006

Titre original : *Mary Anne Saves the Day*
Édition originale publiée par Scholastic Inc., New York, 1987
© Ann M. Martin, 1987, pour le texte
© Éditions Gallimard Jeunesse, 1997, pour la traduction française
© Éditions Gallimard Jeunesse, 2015, pour les illustrations

1

C'était un lundi du mois de janvier. Il était près de cinq heures et demie, heure à laquelle devait se réunir le Club des Baby-Sitters.

J'arrivais juste chez moi quand, devant la maison d'à côté, j'ai aperçu Kristy Parker. C'est la présidente du club et aussi ma meilleure amie. Comme ma mère est morte quand j'étais encore toute petite – je vis seule avec papa maintenant – Kristy est presque une sœur pour moi, et Mme Parker une mère. Les parents de Kristy ont divorcé il y a quelques années, et son père est parti vivre ailleurs. Mais mon père n'est pas un père pour elle. Il n'est pas chaleureux et compréhensif comme Mme Parker.

On a couru l'une vers l'autre, en faisant craquer ce qui restait de neige sous nos pas, puis on a traversé la rue pour aller chez Claudia Koshi, qui est vice-présidente du club. Nous nous réunissons chez elle, parce qu'elle a le téléphone dans sa chambre.

Les réunions du Club des Baby-Sitters ont lieu les lundi, mercredi et vendredi de cinq heures et demie à six heures. Les gens qui ont des enfants à faire garder nous appellent sur la ligne de Claudia. La garde est assurée par l'une ou l'autre d'entre nous. C'est simple, mais génial, c'est une idée de Kristy. L'avantage, c'est que nous sommes quatre, les gens qui appellent sont donc sûrs de trouver une baby-sitter disponible.

Bien sûr, le club n'est pas parfait. Par exemple, les quatre membres qui le composent – Kristy, Claudia, Lucy MacDouglas, la trésorière, et moi, la secrétaire – n'ont que douze ans. Nous devons rentrer assez tôt chez nos parents. En fait, seules Lucy et Claudia ont la permission de faire quelques baby-sittings jusqu'à dix heures. Kristy et moi, nous devons être rentrées chez nous à neuf heures et demie du soir le week-end et à neuf heures la semaine.

À cause de ça, le club a failli disparaître : il n'y a pas longtemps, des filles plus âgées que nous et qui pouvaient sortir tard le soir nous ont imitées en montant l'Agence de baby-sitters. Beaucoup de gens se sont alors adressés à elles. Mais ça n'a pas marché, car les baby-sitters ne faisaient pas bien leur travail. Nous avons donc récupéré nos clients et l'année qui commence s'annonce bien.

Kristy a sonné chez les Koshi. C'est Mimi, la grand-mère de Claudia, qui a ouvert. Mimi vit avec les Koshi, elle s'occupe de Claudia et de sa sœur Jane, car leurs deux parents travaillent. Les Koshi sont d'origine japonaise, mais Claudia et Jane sont nées aux États-Unis. Leurs parents y sont venus quand ils étaient petits. Mimi, elle, avait une trentaine d'années quand elle a quitté le Japon. Elle en a gardé un joli accent, que j'aime beaucoup.

– Et ton écharpe, ça avance, Mary Anne ? m'a demandé Mimi.

Elle m'aide à tricoter une écharpe pour mon père.

– J'ai presque fini, mais il faut que vous m'aidiez pour la frange.

– Avec plaisir, quand tu veux, Mary Anne.

Je l'ai embrassée rapidement sur la joue puis, Kristy et moi, nous sommes vite montées dans la chambre de Claudia. Il fallait se dépêcher pour ne pas avoir à parler à Jane, au cas où elle serait à la maison.

Jane est un génie. Vraiment. Elle n'a que quinze ans et elle est déjà en première au lycée. Elle corrige absolument tout ce qu'on lui dit. Kristy et moi, nous l'évitons autant que possible. Ce jour-là, on a eu de la chance, Jane n'était pas là. Nous avons surpris Claudia la tête dans son range-pyjama, en train de fouiller à l'intérieur. Elle s'est redressée en brandissant fièrement trois barres de Mars. Claudia est folle des bonbons. Elle achète toutes sortes de friandises qu'elle cache partout dans sa chambre. Elle a beau grignoter sans arrêt, elle ne grossit pas d'un gramme et n'a pas l'ombre d'un bouton. Elle nous a offert une barre chocolatée à chacune, mais j'ai refusé. Papa s'affole si je ne mange pas bien à table, et je n'ai pas un gros

11

appétit. Claudia a remis le Mars dans sa cachette. Elle ne pourrait pas le proposer à Lucy quand elle arriverait, car Lucy est diabétique, elle ne peut pas manger n'importe quoi.

— Il y a déjà eu des appels ? ai-je demandé.

Il était à peine cinq heures et demie, mais les gens appellent parfois avant.

— Oui, un. La mère de Kristy veut quelqu'un pour garder David Michael jeudi.

Kristy a hoché la tête.

— La baby-sitter qui venait deux fois par semaine n'est plus disponible. Maman aura besoin du club plus souvent en attendant de retrouver quelqu'un.

Kristy a deux frères plus âgés, Samuel et Charlie, et un petit frère de six ans, David Michael. Les trois grands s'occupent à tour de rôle de David Michael, un après-midi par semaine. Mme Parker avait dû engager en plus une baby-sitter pour les jours restants, mais elle se décommandait très souvent.

— Salut, tout le monde ! a fait Lucy en entrant dans la chambre.

Elle était superbe, comme toujours. Lucy est ravissante. Elle a quitté New York pour venir s'installer à Stonebrook, l'été dernier. Elle aime la mode et porte des vêtements très chics, des bijoux surprenants, comme des boucles d'oreilles avec un chien d'un côté et un os de l'autre. En plus, elle a une super coupe de cheveux. Je donnerais n'importe quoi pour être à sa place, sans son diabète évidemment, parce qu'elle a vécu à New York et sait s'habiller comme un manne-quin. Mon père me laisse aussi m'habiller comme un mannequin... de six ans. Je dois me faire des tresses (c'est une obligation) et, tous les jours, il donne son avis sur ce que je porte, ce qui est un peu bête puisqu'il m'achète tous mes vêtements et quels vêtements ! Des jupes en tissu écossais, des pulls bleu marine, des chemisiers à col rond et des mocassins.

Une fois au moins, j'aimerais aller en classe en caleçon turquoise, avec la chemise de Lucy, celle avec des flamants roses et des toucans partout, et des baskets rouges. J'aimerais me faire remarquer. Enfin, une partie de moi aimerait, l'autre est trop timide pour ça.

Lucy se fait souvent remarquer. Claudia aussi. Bien qu'elle ne soit pas tout à fait aussi chic que Lucy (rien de tel que d'avoir vécu à New York), elle est très jolie. Elle a de longs cheveux noirs et soyeux qu'elle coiffe toujours différemment.

Heureusement, Kristy ne s'habille pas comme Claudia et Lucy. Elle fait aussi bébé que moi. Mme Parker ne l'empêche pas de porter ce qu'elle veut, mais elle se moque un peu de son apparence. Elle ne se coiffe pas vraiment et elle s'habille uniquement parce que la loi interdit d'aller nue en classe !

J'ai ouvert l'agenda du club. Nous avons un agenda et un journal de bord. Dans l'agenda sont notés nos rendez-vous, les adresses et numéros de téléphone de nos clients, nos tarifs, les sommes gagnées par chacune de nous et les frais occasionnés par le club. Lucy garde une trace de tout ce qui concerne les chiffres.

Dans le journal de bord, Kristy nous a demandé de noter chacune de nos expériences de baby-sitting, pour que nous soyons toutes informées des problèmes, habitudes et besoins particuliers des gens chez qui nous allons. Comme vous voyez, nous sommes très organisées. C'est grâce à Kristy, même si elle est parfois autoritaire, assez souvent même.

— Voyons, ai-je dit en consultant l'agenda, jeudi… il n'y a que toi de libre, Claudia. Tu es d'accord pour garder David Michael ?

Elle a accepté. J'ai noté le rendez-vous pendant que Claudia rappelait Mme Parker au bureau. Elle avait à peine raccroché que le téléphone sonnait à nouveau. Claudia a répondu :

— Allô. Ici le Club des Baby-Sitters… Oui ?… Oh, bonjour… Samedi après-midi ? Je vérifie et je vous rappelle.

— C'était Jim, Kristy. Il veut quelqu'un samedi de quatorze à seize heures.

Jim est le fiancé de la mère de Kristy. Ils doivent se marier en automne. Jim est divorcé, tout comme Mme Parker, et il a deux enfants, Karen, qui a cinq ans, et Andrew, qui en a trois. Kristy aime bien Karen et Andrew et elle les aurait volontiers gardés samedi, mais le règlement du club veut que chaque demande de baby-sitting soit proposée à tout le monde et qu'on en discute ensemble.

– On dirait que tout le monde est libre samedi, ai-je remarqué.

– Non, je vais chez le médecin, m'a informée Lucy.

– Mimi m'emmène faire du shopping, a poursuivi Claudia.

– Alors, il reste Kristy et moi. Si tu veux, tu peux y aller, je sais que ça te ferait plaisir de voir Karen et Andrew.

– Merci ! a répliqué Kristy toute contente.

J'avais envie de faire plaisir à mon amie, mais c'était aussi parce que j'avais un peu peur. Il y a une vieille femme bizarre, Mme Porter, qui vit à côté de chez Jim. Karen dit que c'est une sorcière et que son vrai nom est Morbidda Destiny. Elle a très peur d'elle. Et moi aussi. C'est pour ça que ça ne m'embêtait pas de ne pas y aller.

Le téléphone a sonné à nouveau et Kristy a répondu. C'était Mme Newton, une de nos clientes préférées. Elle a un adorable fils de trois ans, Simon, et un nouveau-né, Lucy Jane, qui n'a même pas deux mois.

Nous essayions de savoir, d'après ce que disait Kristy, si Mme Newton voulait une baby-sitter juste pour Simon ou aussi pour Lucy Jane. Chacune de nous espérait avoir la chance de pouvoir s'occuper du bébé.

– Oui… Oh ! Simon et Lucy Jane. Vendredi de six à huit… Bien sûr. J'y serai.

Et elle a raccroché. Kristy irait ? Et pourquoi ne proposait-elle pas ce baby-sitting aux autres comme elle devait le faire ? Claudia, Lucy et moi, nous nous sommes regardées. J'ai lu sur le visage de mes amies colère et indignation.

Kristy était aux anges. Elle était tellement enchantée d'aller s'occuper de Lucy Jane qu'elle ne s'est pas tout de suite rendu compte de ce qu'elle venait de faire.

– Les Newton organisent une soirée vendredi, ils veulent quelqu'un pour surveiller les enfants pendant ce temps-là, expliqua-t-elle. Je suis si contente ! De six à huit heures… Il faudra sûrement donner le biberon au bébé…

Elle s'est arrêtée net, réalisant d'un coup que personne d'autre n'avait l'air de se réjouir.

– Oh ! Excusez-moi !

– Kristy ! s'est exclamée Claudia. Tu devais le proposer à tout le monde. Tu le sais, c'est toi qui as fait le règlement. Moi aussi, j'aurais aimé garder Lucy Jane.

– Moi aussi, a renchéri Lucy.

– Et moi aussi, ai-je complété.

J'ai vérifié dans l'agenda.

– En plus, nous sommes toutes libres vendredi.

– Il y a des profiteuses par ici, a déclaré Claudia en prenant un chewing-gum caché sous sa couette.

– J'ai dit que j'étais désolée, s'est énervée Kristy. D'ailleurs, tu n'as rien à dire.

« Ouh là là ! ça va chauffer », ai-je pensé.

– Et pourquoi ? a répliqué Claudia.

Lucy s'en est mêlée :

16

— Eh bien, tu as fait la même chose. Tu te souviens d'une fois avec Charlotte Johanssen ? Et avec les Marshall ?

— Et avec les Pike ? ai-je ajouté timidement.

C'était vrai. Claudia avait souvent oublié de proposer des baby-sittings aux autres.

— Eh, vous n'oubliez jamais rien vous ? Vous êtes parfaites, peut-être ?

— Ça a posé des problèmes, a insisté Kristy.

— Tu ne vas pas me faire croire ça ! s'est écriée Claudia en pointant un doigt accusateur sur Kristy. C'est toi qui enfreins le règlement et on se jette sur moi ! Je n'ai rien fait. Je suis innocente.

— Pour cette fois, a marmonné Lucy.

— Et toi qui veux tant te faire des amis à Stonebrook, ne te fâche donc pas avec les seuls que tu aies, a lâché alors Claudia.

— C'est une menace ? Vous savez, je n'ai pas besoin de vous. N'oubliez pas d'où je viens.

— On sait, on sait… New York. Tu nous le répètes assez.

— Ce que je voulais dire, a poursuivi Lucy avec arrogance, c'est que je peux très bien me débrouiller toute seule, je n'ai besoin de personne. Ni d'une frimeuse profiteuse (elle regardait Claudia), ni d'une mademoiselle je-sais-tout autoritaire (elle a fixé Kristy), ni d'un petit bébé pleurnichard (maintenant, c'était mon tour).

— Je ne suis pas un petit bébé pleurnichard ! ai-je protesté.

Mais aussitôt mon menton s'est mis à trembler et mes yeux se sont remplis de larmes.

— Oh, la ferme ! m'a ordonné Kristy.

Cette fois, c'en était trop.

— C'est toi qui vas la fermer, ai-je hurlé à Kristy, et toi aussi, Lucy. Je me fiche que tu te croies supérieure parce que tu viens de New York ou à cause de ton stupide diabète, tu n'as pas le droit…

— Ne parle pas comme ça de la maladie de Lucy ! m'a coupée Claudia.

— Je n'ai pas besoin de toi pour me défendre, s'est écriée Lucy. Pas besoin de ta pitié.

— Très bien, a-t-elle répliqué froidement.

Kristy est revenue à la charge :

— Et qui as-tu traité de mademoiselle je-sais-tout autoritaire, juste avant ?

— À ton avis ?

— Moi !

Kristy s'est tournée vers moi.

— Ne me demande pas de la fermer et ensuite de t'aider, ai-je cinglé.

On aurait dit qu'elle venait d'apprendre que sa meilleure amie était une extraterrestre.

— Je suis peut-être timide et calme, ai-je repris bien fort en me dirigeant vers la porte, mais je ne me laisse pas marcher sur les pieds. Vous voulez savoir ce que je pense ? Lucy, tu es une snob prétentieuse, et toi, Claudia, une profiteuse et une frimeuse, quant à toi, Kristy Parker, tu es la plus autoritaire des mademoiselle je-sais-tout, et je me fiche pas mal de ne plus jamais vous revoir !

Je suis sortie de la chambre de Claudia, en claquant la porte derrière moi si fort que les murs ont tremblé. En dévalant les escaliers, j'entendais les autres continuer à hurler. Alors que j'arrivais dans l'entrée des Koshi, la porte de Claudia a claqué à nouveau. Quelqu'un a descendu précipitamment les escaliers. Je me suis mise à courir, espérant à moitié que Kristy ou Lucy essayerait de me rattraper dans la rue. Mais ce ne fut pas le cas.

2

Après cette terrible dispute, dîner avec papa était la dernière chose dont j'avais envie. Mais mon père tient beaucoup à ce que nous dînions tous les soirs ensemble.

Par chance, il n'était pas encore là quand je suis rentrée de chez Claudia. Je pleurais et je n'étais pas d'humeur à parler à qui que ce soit. De colère, je faisais tout claquer : la porte du réfrigérateur, où j'ai pris des restes de rôti, la porte du four, où je l'ai mis à réchauffer. Puis j'ai sorti les couverts, les verres, les assiettes, claquant toujours portes et tiroirs. Je les ai posés violemment sur la table, avant de monter me passer de l'eau sur le visage.

Quand papa est arrivé, j'avais meilleure allure et je me sentais mieux. J'ai descendu les escaliers, les cheveux bien coiffés, le chemisier rentré soigneusement dans ma jupe et les chaussettes tirées. Papa estime qu'il est important d'être impeccable au dîner.

— Bonsoir, Mary Anne, a-t-il dit en se penchant pour que je puisse l'embrasser, tu as préparé le dîner ?

– Oui.

Papa déteste les gens qui disent « ouais » ainsi que « hé », « dégueulasse », « débile » et plein d'autres mots qui sortent parfois de ma bouche quand je ne suis pas avec lui.

– J'ai fait réchauffer le rôti.

– C'est parfait. Préparons une salade avec, ça fera un bon repas.

En un rien de temps, la salade était sur la table, dans un saladier en verre. Mon père a découpé le rôti pour nous servir. On s'est assis et on a incliné la tête, pendant qu'il disait le bénédicité. Juste avant de dire « Amen », il a recommandé Alice, ma mère, à Dieu. Il le fait avant chaque repas et, parfois, je pense qu'il exagère. Ma mère est morte depuis près de onze ans, après tout. Je prie pour elle avant de me coucher, et il me semble que ça suffit.

– Comment s'est passée ta journée, Mary Anne ?

– Bien…

– Et ton contrôle de français ?

J'ai pris un peu de salade, bien que je n'aie pas faim du tout.

– Bien. J'ai eu huit sur dix. C'est…

– Je t'en prie, ne parle pas la bouche pleine.

J'ai avalé avant de continuer :

– J'ai eu huit sur dix. C'est la meilleure note.

– Magnifique, je suis fier de toi. Le Club des Baby-Sitters s'est réuni cet après-midi ?

– Ouais… oui.

Toutes les quatre, nous avons été surprises que papa m'autorise à faire partie du club et à faire tant de baby-sittings. Mais il a ses raisons : il pense que cela m'apprend le sens des responsabilités et aussi à épargner de l'argent et d'autres choses de ce genre.

— Il s'est passé quelque chose de particulier ?

J'ai secoué la tête. Il n'était pas question que je lui parle de notre dispute.

— Eh bien, a repris papa, qui essayait de faire la conversation, mon affaire s'est… s'est très bien passée aujourd'hui, vraiment. Je suis sûr que nous allons gagner.

J'ai remué sur ma chaise. Je ne savais pas de quelle affaire il parlait, mais j'avais le sentiment que j'aurais dû le savoir. Il avait déjà dû m'en parler.

— C'est formidable, papa.

Nous avons mangé en silence pendant quelques instants.

— C'est une affaire intéressante, car elle démontre l'extrême importance de l'honnêteté dans les transactions. Souviens-toi toujours de cela, Mary Anne, sois honnête et loyale. Tu seras toujours récompensée.

— Oui, papa.

J'ai alors réalisé que papa et moi, nous étions assis l'un en face de l'autre à cette table, deux fois par jour la semaine et trois fois le week-end. Si un repas dure en moyenne une demi-heure, nous passions quatre cents heures ensemble à table par an, à essayer de discuter, et pourtant nous savions à peine quoi nous dire. Il aurait tout aussi bien pu être un inconnu, avec lequel je partagerais mes repas seize fois par semaine.

J'ai repoussé mon rôti sur le bord de mon assiette.

— Tu ne manges pas, Mary Anne ? m'a fait gentiment remarquer mon père. Te sens-tu bien au moins ? Tu n'es pas malade ?

— Oui, oui. Très bien.

— Tu es sûre ? Tu ne t'es pas bourrée de biscuits chez les Koshi, au moins ?

— Non, papa. Je te ju… je te promets. Je n'ai pas très faim, c'est tout.

— Essaie au moins de finir ta salade. Ensuite tu iras faire tes devoirs.

Il présentait ça comme une récompense.

Je me suis forcée à manger un peu. Puis mon père a mis la radio pour écouter de la musique classique, tandis que nous rangions la cuisine. Enfin, j'ai pu filer dans ma chambre. Assise à mon bureau, j'ai ouvert mon livre de maths. Une feuille blanche, deux crayons taillés et une gomme rose étaient devant moi. Mais je n'arrivais pas à me concentrer. Avant d'avoir seulement fait un trait sur la feuille, je me suis levée et je me suis jetée sur mon lit.

Je me revoyais traiter mes amies de prétentieuse, de profiteuse, de mademoiselle je-sais-tout. Je regrettais vraiment d'avoir dit tout ça. Puis je me suis souvenue qu'elles m'avaient traitée de bébé et priée de me taire. J'aurais aimé en parler à quelqu'un. Je pouvais peut-être appeler Claudia. Ce qu'elle m'avait dit cet après-midi n'était pas méchant. Mais je n'ai pas le droit de téléphoner après le dîner, sauf pour les devoirs. En soupirant, j'ai jeté un coup d'œil par la fenêtre. De là, je vois la chambre de Kristy en face. Elle était dans l'obscurité.

Assise en tailleur sur mon lit, j'ai regardé autour de moi. Pas étonnant que Lucy me traite de bébé. Ma chambre a tout d'une nursery. Il n'y manque que le berceau et la table à langer. Elle est décorée en rose et blanc – ce qui devait plaire à une petite fille, avait dû penser mon père. En fait, j'aime le jaune et le bleu marine. Le rose est une des couleurs que je déteste le plus. Les rideaux sont en tissu à fleurs roses et sont retenus par des embrasses roses. Le dessus-de-lit est assorti aux rideaux. La descente de lit est rose pâle et les murs sont blancs avec des plinthes roses. Vivre dans ma chambre, c'est un peu comme vivre dans une bonbonnière.

Ce qui m'ennuie le plus, c'est ce qui est accroché aux murs, ou plutôt ce qui n'y est pas. J'ai passé des heures dans les chambres de Kristy et de Claudia, je suis allée deux fois dans celle de Lucy, et je crois qu'on apprend beaucoup sur les gens, rien qu'en regardant leurs murs. Par exemple, Kristy aime le sport et ses murs sont couverts de posters de footballeurs, de sportifs. Claudia est une artiste, chez elle, ce sont ses propres œuvres qui sont exposées partout.

Et Lucy, à qui New York manque beaucoup plus qu'elle ne veut bien l'avouer, a mis dans sa chambre une vue de New York la nuit, un poster de gratte-ciel et un plan de la ville.

Et chez moi, qu'y a-t-il sur les murs ? Une photo encadrée de mes parents avec moi le jour de mon baptême, un poster de Pinocchio et deux autres avec des personnages d'*Alice au pays des merveilles*.

Tout cela est encadré en rose.

Vous savez ce que je voudrais avoir sur mes murs ? J'y ai beaucoup pensé, au cas où mon père perdait la tête et me laissait redécorer ma chambre. Je n'ai pas le droit de mettre d'affiches, car les punaises feraient des trous dans les murs… Mais supposons que papa devienne vraiment fou et se moque des trous, je mettrais un immense poster de chatons, une grande photo des membres du club et une vue de New York. J'enlèverais Pinocchio, mais je garderais la photo de ma famille.

Lorsque j'ai à nouveau jeté un œil par la fenêtre, la lumière était allumée chez Kristy. Je pouvais lui faire signe et lui faire savoir que je n'étais plus fâchée. Mais elle a vite baissé son store, sans jeter un regard dans ma direction. Tant pis, je n'aurais qu'à essayer de lui faire signe avec ma lampe de poche à neuf heures. On a inventé un code, pour « parler » sans téléphone. Kristy et moi, nous communiquons ainsi depuis longtemps et nous ne nous sommes jamais fait prendre.

Une fois mes devoirs terminés, je me suis mise au lit avec un livre passionnant : *Les Quatre Filles du docteur March*.

Papa a entrouvert la porte pour me souhaiter une bonne nuit.

Je sais que mon père m'aime et que, s'il est si sévère, c'est pour montrer à tout le monde qu'on peut avoir une jeune fille bien élevée, même sans mère. Mais parfois, j'aimerais bien que les choses soient différentes. Quand il a eu refermé la porte, j'ai pris ma lampe de poche et, sur la pointe des pieds, je me suis postée à la fenêtre, attendant que Kristy en fasse autant. J'avais l'intention de m'excuser. J'ai attendu un quart d'heure, mais son store est resté baissé. Ça voulait dire qu'elle était très fâchée.

3

Le lendemain, au réveil, j'étais triste. Kristy n'avait jamais été fâchée avec moi si longtemps. Il est vrai que je ne l'avais encore jamais traitée de mademoiselle je-sais-tout autoritaire.

Tout en m'habillant, j'ai essayé de me convaincre que nous ne pourrions pas rester fâchées longtemps. L'avenir du club en dépendait, tout de même. Nous serions sûrement réconciliées pour la réunion de demain.

Après le petit déjeuner, j'ai embrassé mon père avant de sortir. J'espérais qu'il ne me verrait pas partir seule à l'école, car il comprendrait alors que quelque chose clochait. Depuis la maternelle, je n'avais dû aller que six fois à l'école toute seule et, sur ces six fois, quatre parce que Kristy était malade.

Je me suis arrêtée devant chez Kristy, hésitant à sonner pour demander si elle était déjà partie. Finalement je n'ai pas osé. Au fond, je suis lâche. Je ne voulais pas prendre le risque qu'on se dispute devant sa famille. Je me suis mise à marcher vite, regardant si je ne voyais pas Kristy, Claudia ou Lucy. Mais je n'ai vu personne. Soudain, j'ai pensé à quelque chose d'affreux : et si elles s'étaient réconciliées entre elles et qu'elles ne soient plus fâchées qu'avec moi !

Mais en arrivant au collège, le cœur serré, je suis tout de suite tombée sur Kristy ! Elle n'était ni avec Claudia, ni avec Lucy, je me suis donc sentie un peu soulagée. Je lui ai fait un signe de la main. Kristy m'avait vue, j'en étais sûre. Mais elle a levé la tête, a fait volte-face et s'est engouffrée dans le couloir. Je l'ai suivie, car ma classe est à côté de la sienne, tout en maintenant une certaine distance entre nous.

En approchant de ma salle, j'ai vu Claudia qui arrivait en face de nous.

— Hé, Kristy ! a-t-elle lancé.

« Oh, non, ai-je pensé. Elles se sont réconciliées. » Mais Kristy l'a ignorée.

— Kristy !

— C'est à moi que tu parles, a demandé Kristy d'un ton glacial, ou à une autre profiteuse ?

Le visage de Claudia s'est durci.

— Non, je ne vois pas de profiteuse ici pour l'instant.

— Eh bien, regarde-toi dans une glace ! a répliqué Kristy.

Claudia avait l'air de chercher une réplique cinglante, mais Kristy est entrée dans sa classe en claquant la porte derrière elle. J'hésitais à m'approcher de Claudia. Après tout, elle avait bien cherché à se réconcilier avec Kristy.

Mais la cloche a sonné, et Claudia a disparu dans sa classe et moi dans la mienne.

La matinée a passé très lentement. Je n'arrivais pas à me concentrer. Je réfléchissais au mot d'excuse que je pourrais envoyer à mes amies. Hum, je devais encore être fâchée, car certains n'étaient pas très gentils.

Chère Lucy,
Je suis vraiment, vraiment désolée que tu m'aies traitée de petit bébé pleurnichard. J'espère que tu es désolée, toi aussi, espèce de prétentieuse.

Chère Kristy,
Désolée que tu sois la plus autoritaire des mademoiselle je-sais-tout, mais qu'y puis-je ? As-tu pensé à te faire soigner ?

Chère Claudia,
Désolée de t'avoir traitée de profiteuse. Tu ne le mérites pas et je ne le pensais pas vraiment. Pardon.
Je t'embrasse,
Mary Anne

Celui-là, je pouvais l'envoyer. En cours de français, j'ai vite fini mon travail et pris une feuille blanche ainsi que mon stylo-plume. Lentement, en faisant bien attention à mon écriture et à mon orthographe, j'ai rédigé le mot pour Claudia. Puis j'ai soufflé dessus pour faire sécher l'encre, je l'ai plié soigneusement en deux et je l'ai mis dans ma trousse. Je le remettrais à Claudia à l'heure du déjeuner.

Mes genoux flageolaient quand je suis entrée dans la cantine un peu plus tard.

J'allais tout de suite savoir si Lucy et Claudia s'étaient réconciliées ou non. Elles étaient en général assises avec un groupe de filles prétentieuses et quelques garçons.

En entrant, j'ai aussitôt regardé qui était avec qui. À la table de Claudia et de Lucy, la bande habituelle était là, Lucy aussi, mais pas Claudia. Tiens donc, elles ne s'étaient pas réconciliées non plus.

J'ai parcouru le réfectoire du regard et j'ai enfin trouvé Claudia. Elle était assise avec Trevor Sandbourne. Ils n'étaient que tous les deux. Trevor est un garçon qu'elle aime bien et avec lequel elle sort parfois. Claudia lui parlait à voix basse. Il écoutait tout en souriant. Ils avaient l'air d'être très proches l'un de l'autre.

J'ai fait le tour d'une table pleine de monde pour me rendre à celle où je m'assieds d'habitude, avec Kristy et les jumelles Millaber, Mariah et Miranda. Il y a quatre places, ce qui est parfait pour notre petit groupe. Mais bientôt je me suis arrêtée net. Kristy et les jumelles étaient déjà installées.

Elles avaient posé leurs plateaux de telle sorte qu'il ne restait pas l'ombre d'une place. En plus, elles avaient enlevé la quatrième chaise ou l'avaient prêtée à une autre table. Enfin bref, ce qui comptait, c'est qu'elles ne m'avaient pas gardé ma place. J'ai observé mes amies un instant. Kristy était juste en face de moi. Elle parlait sans arrêt et les jumelles se tordaient de rire.

En levant les yeux, Kristy m'a aperçue, elle s'est penchée vers les jumelles et a fait tout un cinéma en leur chuchotant à l'oreille et en riant fort. J'ai fait demi-tour.

Tout à coup, j'avais l'impression d'être nouvelle au collège. Je ne connaissais personne d'autre avec qui m'asseoir. Depuis toujours, je déjeunais avec Kristy et les jumelles. Si elle avait été à ma place, elle aurait rejoint d'autres gens, même des inconnus. Moi, j'étais trop timide. J'ai fait le tour de la cantine, jusqu'à ce que je trouve une table vide. Je me suis laissée tomber sur une chaise et j'ai attaqué mon assiette sans grand appétit.

— Excuse-moi, je peux m'asseoir là ? a fait une voix à côté de moi.

En levant les yeux, j'ai vu une grande fille avec des cheveux si blonds qu'ils en étaient presque blancs. Ils tombaient, raides et soyeux, jusqu'à ses reins.

— Bien sûr, ai-je répondu, en montrant de la main toutes les chaises vides.

Elle s'est assise et a posé son plateau devant elle, puis m'a souri timidement.

— Tu dois être nouvelle aussi.

— Nouvelle ?

J'ai rougi. En effet, sinon pourquoi serais-je seule ?

— Oh, hum, non, ai-je bégayé. C'est que… mes amies sont toutes… absentes aujourd'hui.

— Oh ! a-t-elle fait, visiblement déçue.

— Et toi… tu es nouvelle ?

Elle a hoché la tête.

— C'est mon deuxième jour ici. Personne ne veut d'une nouvelle à sa table et ce n'est pas drôle d'être toute seule. Je croyais avoir eu la chance de tomber sur une autre nouvelle.

J'ai souri.

— Ça ne me dérange pas que tu t'asseyes à côté de moi, même si je ne suis pas une nouvelle.

La fille m'a rendu mon sourire. Elle était vraiment jolie, et aussi très agréable, ce qui est plus important. Surtout si je pensais à trois désagréables personnes de ma connaissance.

— Je m'appelle Carla, Carla Schafer.

— Carla, ai-je répété, c'est un joli prénom. Moi, je m'appelle Mary Anne Cook.

Les yeux bleus de Carla, qui étaient presque aussi pâles que ses cheveux, se sont soudain illuminés.

— Tu viens juste d'emménager ici ? ai-je demandé. Ou tu as changé d'école ?

— Je viens d'emménager. La semaine dernière.

Elle s'est mise à manger lentement et avec méthode, prenant d'abord une bouchée de macaronis, puis de carottes et enfin de salade.

— Notre maison est encore un peu en bazar, m'a-t-elle expliqué. Il y a des cartons partout. Hier, j'ai mis vingt minutes avant de trouver mon frère pour le dîner.

J'ai éclaté de rire.

À cet instant, j'ai levé par hasard les yeux et j'ai vu Kristy. Elle m'observait. Dès que j'ai eu croisé son regard, elle s'est remise à parler avec les jumelles, comme si elles vivaient le plus beau jour de leur vie, sans moi.

« À deux, on peut jouer à ce petit jeu aussi », ai-je pensé. Et, bien que je n'aie jamais été très bonne pour faire la conversation à des gens que je ne connais pas bien, je me suis penchée au-dessus de la table et j'ai fait semblant de conspirer avec Carla.

— Tu veux savoir quel est l'élève le plus bizarre du collège ?

Elle a hoché la tête avec avidité. Il se trouvait justement assis à la table voisine de celle de Kristy, j'en ai profité pour pointer le doigt vers elle.

— C'est Alexander Kurtzman. Celui qui porte le costume trois pièces. Tu le vois ? ai-je murmuré.

Carla a acquiescé.

— N'essaie jamais de doubler quand tu fais la queue avec lui à la cantine. C'est un maniaque des règlements.

Nous avons ri ensemble.

– Sur qui dois-je encore apprendre des choses ?

Je lui ai montré d'autres élèves. Nous avons passé le reste du déjeuner à chuchoter et à rigoler.

Par deux fois, j'ai croisé le regard de Kristy, qui me lançait des éclairs.

Je savais que je ne faisais rien pour apaiser notre dispute, mais ça me plaisait bien de la défier, puisqu'elle n'avait pas voulu de moi à notre table.

– Hé, tu veux venir chez moi demain après l'école ? m'a proposé Carla.

– Euh… oui, bien sûr.

C'était si bizarre de parler à quelqu'un d'autre qu'à Kristy, Claudia, Lucy ou aux jumelles.

Je crois que jamais je ne m'étais fait une nouvelle amie sans l'aide de quelqu'un. Mariah et Miranda étaient, à l'origine, des amies de Kristy, Lucy était une amie de Claudia et, si j'étais amie avec Kristy et Claudia, c'est que, comme nous étions voisines, nous avions grandi ensemble.

– Ouais, super ! s'est exclamée Carla.

Elle devait vraiment se sentir seule.

Moi, je me sentais coupable. Je savais parfaitement que, si je voulais aller chez elle, c'était pour énerver Kristy, Lucy et Claudia.

J'espérais que Kristy me verrait quitter l'école avec Carla le lendemain et qu'elle en serait étonnée. J'espérais qu'elle serait fâchée (encore plus qu'elle ne l'était déjà). J'espérais même qu'elle serait un peu peinée.

– Ça me ferait plaisir, ai-je ajouté. Où habites-tu ?

– Dans Hill Road.

– Ce n'est pas trop loin de chez moi ! J'habite près de Bradford Court.

– Génial ! On pourra regarder un film.

– Pas de problème !

Nous nous sommes levées, nos plateaux à la main.

– On pourra encore déjeuner ensemble demain ou tes amies seront-elles revenues ?

Je n'ai rien dit. Et si d'ici demain nous étions réconciliées, toutes les quatre ? Mais chaque chose en son temps.

– Je ne sais pas.

– Ce n'est pas grave, on verra bien.

– OK, alors… À bientôt.

Ce jour-là, jusqu'à la fin des cours, je n'ai plus revu ni Kristy, ni Claudia, ni Lucy. Je les ai aperçues toutes les trois à la sortie du collège. Chacune rentrait seule à la maison, encore fâchée contre les autres. Je me suis mise en route, en les suivant de loin. Et en arrivant chez moi, je me suis rendu compte que j'avais totalement oublié de donner le mot à Claudia !

4

« On est mercredi ! » me suis-je dit en me réveillant le lendemain matin. Le club devait se réunir aujourd'hui. Nous ne pouvions rester fâchées plus longtemps ou alors la réunion n'aurait pas lieu.

Or, ce n'était jamais arrivé. Tout à coup, j'étais sûre que notre dispute serait oubliée. J'en étais tellement sûre que, en partant pour le collège, je me suis arrêtée chez Kristy et j'ai sonné. On pourrait aller ensemble en classe et se faire des excuses. C'est David Michael qui m'a ouvert.

– Salut, Mary Anne.

– Salut, Kristy est encore là ?

– Ouais, a fait David Michael, elle est…

– Je ne suis pas là ! a crié Kristy du salon.

– Mais si. Tu es juste…

– David Michael, viens par là une seconde, l'a coupé sa sœur.

Il est parti. Peu après, j'ai entendu des pas dans le hall et on m'a claqué la porte au nez. Je suis restée, toute tremblante, sur le perron des Parker, puis j'ai fait volte-face. Tout le long du chemin, la voix furieuse de Kristy et le claquement de la porte m'ont poursuivie.

« Il me reste Carla, c'est déjà ça », pensais-je.

Finalement on a déjeuné ensemble.

– Tes amies sont encore absentes ? m'a demandé Carla, sceptique.

– Ouais.

Je n'avais pas envie d'en dire plus. J'ai cherché des yeux les membres du club dans la cantine. Kristy mangeait toujours avec les jumelles, mais la chaise vide était occupée par Jo Deford, un de leurs amis. Claudia et Trevor étaient avec Ric et Emily. Au bout de la même table se trouvaient Lucy et Peter.

De temps en temps, Lucy levait la tête pour jeter un œil mauvais à Claudia ou Claudia murmurait quelque chose à Trevor, puis regardait Lucy et riait. Elle lui a même tiré la langue. Ça ne s'arrangeait pas, au contraire. Je n'étais pas étonnée que Kristy se montre aussi rancunière, mais je pensais que Lucy et Claudia se seraient réconciliées. Jamais je n'aurais cru voir Claudia tirer la langue à quelqu'un en présence de Trevor Sandbourne.

À la fin des cours, je me suis ruée vers la sortie. Je devais y retrouver Carla et je voulais arriver à temps pour que Kristy me voie bien sortir avec ma nouvelle amie. Les choses se sont passées encore mieux que je ne l'avais souhaité.

Tous les élèves sortaient en même temps. J'ai repéré Kristy. En me voyant, elle m'a fait une grimace méprisante. Moi, j'ai souri. Pas à Kristy, mais à Carla, qui arrivait juste. Je suis sûre que Kristy a pensé que j'essayais de nouveau de me réconcilier avec elle. Mais quelle surprise, quand elle a vu Carla m'appeler et courir vers moi ! Alors que nous nous dirigions vers la sortie, je me suis retournée juste à temps pour voir Kristy, bouche bée, derrière moi. Carla et moi, on n'arrêtait pas de parler. En chemin, on a croisé Claudia et Trevor, j'étais ravie.

La nouvelle maison de Carla était plutôt vieille.

– C'est une ferme qui date de 1795.

– Ouah ! Tu en as de la chance d'habiter dans une si vieille maison.

– C'est vrai, même s'il y a plein de travaux à faire. Et elle n'est pas très haute de plafond, tu verras. Si mon père était là, il devrait se pencher pour y rentrer.

En levant les yeux, j'ai constaté que la porte arrivait juste au-dessus de ma tête.

– Les gens étaient plus petits en 1795, a-t-elle expliqué.

À l'intérieur, je me suis retrouvée au milieu d'une pièce remplie de cartons – soit vides, soit encore fermés –, de papiers d'emballage et de choses diverses. Je pensais être dans le salon, mais il y avait des plats, des jouets, des draps et des couvertures, un rideau de douche, un pneu de vélo et des conserves de fruits.

– Ma mère n'a pas encore eu le temps de ranger. En fait, elle a toujours du mal à s'organiser, m'a confié Carla. Maman ! a-t-elle crié.

– Je suis dans la cuisine, chérie.

En enjambant le fouillis, nous sommes parvenues à la cuisine, saines et sauves. Elle était grande comme un mouchoir de poche. On y avait installé avec peine une table et des chaises. Elle était sombre, la fenêtre étant obstruée par toutes sortes de plantes grimpantes. Une jolie femme aux cheveux courts et bouclés, aussi blonds que ceux de Carla, était en train de feuilleter un album photos.

– Maman ! Mais qu'est-ce que tu fais ? s'est étonnée Carla. Tu ne ranges pas ?

Mme Schafer a levé les yeux, l'air coupable.

– Je me suis laissé distraire. En ouvrant un carton, j'ai trouvé cet album avec une enveloppe de photos non rangées et je me suis mise à les coller dans l'album.

Carla a souri en secouant la tête.

– Maman, à l'allure où vont les choses, on ferait mieux de tout laisser dans les cartons, comme ça, on serait prêts pour le prochain déménagement. Je te présente Mary Anne.

Mme Schafer m'a serré la main.

– Ravie de faire ta connaissance. Excuse tout ce fouillis. Mais si tu vas dans la chambre de Carla, tu verras le seul endroit civilisé de la maison. Dès le lendemain de notre arrivée, elle avait déjà tout déballé et rangé.

Carla m'a emmenée à l'étage. Tout était petit dans cette maison : une petite salle à manger, un escalier étroit et sombre, qui menait à un couloir étroit et sombre. Tout au bout, la chambre de Carla, petite aussi, avec un plafond bas et un parquet qui craquait.

— Il y a deux choses super dans cette chambre, m'a-t-elle annoncé. La première, c'est ça.

Elle m'a montré une petite fenêtre ronde près du plafond.

— Je ne sais pas à quoi elle sert, mais je l'aime bien. Et voici la seconde.

Elle a effleuré quelques boutons et la pièce a été inondée de lumière.

— Je ne supporte pas les pièces sombres, m'a-t-elle expliqué. Maman m'a donné des tas de lampes et j'ai mis des ampoules de cent watts partout. J'espère que les plombs tiendront !

— Dis donc, le magnétoscope est dans ta chambre, veinarde ! Une télé et un magnétoscope pour toi toute seule !

— C'est juste pour quelque temps, tant que la maison n'est pas rangée. Après, on les mettra dans le salon. Quel film tu veux voir ?

— Qu'est-ce que tu as ?

— Plein de choses. Ma mère adore le cinéma. Elle passe son temps à enregistrer des films.

— Est-ce que tu aurais par hasard *La Mélodie du bonheur* ?

— Bien sûr, c'est le dernier film que maman a enregistré avant…

— Avant quoi ? ai-je demandé.

Carla a baissé les yeux.

— Avant le divorce. C'est pour ça qu'on a déménagé, mes parents ont divorcé.

— Pourquoi vous êtes venus ici ?

— Les parents de maman habitent dans cette ville. Maman a grandi à Stonebrook.

— Oh ! Mon père aussi. Ils se connaissent peut-être.

— Comment s'appelle ton père ?

— Frederick Cook. Et quel est le nom de jeune fille de ta mère ?

— Porter.

— Je demanderai à papa. Ce serait drôle, non ?

Carla regardait toujours par terre.

— C'est affreux quand les parents se séparent, ai-je dit. Mais tu n'es pas seule, tu sais. Des tas de parents sont divorcés. Kristy Parker, ma meill… ma voisine d'à côté, est une enfant de divorcés aussi.

Carla a souri.

— Et ta mère vient aussi de Stonebrook ? a-t-elle demandé pour changer de conversation.

— Non, d'Ithaca. Mais elle est morte il y a déjà longtemps.

— Oh !

Carla a rougi, puis elle a mis la cassette dans le magnétoscope et on a regardé le film.

— Quel beau film, a soupiré Carla alors que le géné-
rique de fin défilait sur l'écran.

— Oui. C'est un de mes préférés.

J'ai consulté ma montre. Il était cinq heures et
quart.

— Je dois partir maintenant. Merci.

— Je suis contente que tu sois venue.

— À demain, lui ai-je lancé en partant.

J'ai couru jusqu'à chez Claudia. J'avais l'estomac
noué. L'heure de la réunion du Club des Baby-Sitters
approchait. Je me demandais bien ce qui allait se
passer.

5

En route, je m'étais dit que si Claudia m'ouvrait la porte, ce serait bon signe. Si elle faisait cet effort-là, ça voudrait certainement dire qu'elle n'était plus fâchée.

Quand j'ai sonné, c'est Mimi qui m'a ouvert. Elle avait l'air soucieux.

– Bonjour, Mary Anne, a-t-elle dit, très solennellement.

– Salut, Mimi.

J'ai hésité. D'habitude, je montais tout de suite.

– Claudia est là, n'est-ce pas ?

– Oui, bien sûr. Lucy est là aussi…

Elle voulait dire autre chose, mais elle n'osait sans doute pas.

– Bon, je vais monter. À plus tard, Mimi.

Je suis montée, en passant le plus rapidement possible devant la chambre de Jane, et je suis entrée dans celle de Claudia. Lucy était en tailleur sur le lit et fixait ses mains. Claudia était bien droite sur sa chaise et regardait par la fenêtre. Ni l'une ni l'autre ne parlait. Ayant encore en mémoire ce qui s'était passé le matin même devant chez Kristy, j'ai décidé de ne pas faire le premier pas. Un peu gênée, je me suis assise par terre.

Le téléphone a sonné. Claudia, qui était à côté, a décroché.

– Allô, ici le Club des Baby-Sitters… Oh, bonjour, samedi matin ?… D'accord… Je vous rappelle.

« Enfin, quelqu'un va devoir parler maintenant », pensai-je.

– Les Johanssen veulent quelqu'un pour Charlotte samedi matin. Qui est libre ? a demandé Claudia en raccrochant.

– Moi, a dit Lucy, parlant à ses mains.

– Mary Anne ?

J'ai secoué la tête.

– Moi non plus, a fait Claudia. Lucy, c'est pour toi.

– D'accord.

Lucy avait l'air satisfaite. Charlotte est son enfant préférée.

– Et Kristy ? ai-je demandé.

– Elle n'est pas là, a répliqué Claudia, et elle connaît le règlement, c'est elle qui l'a fait. Si elle ne téléphone pas pour dire qu'elle est en retard, tant pis, elle perdra des baby-sittings. Je rappelle le docteur Johanssen pour lui dire qu'elle (Claudia a lancé un regard noir à Lucy de travers) ira chez eux.

Quand elle s'est retournée pour téléphoner, Lucy lui a tiré la langue.

Puis, après le coup de fil de Claudia, le silence s'est à nouveau installé. Quelques minutes après, le téléphone a encore sonné. À la troisième sonnerie, Claudia a lancé :

— Répondez cette fois, je ne suis pas la bonne.

J'ai répondu.

— Allô ?... Oh, bonjour madame Parker. Kristy est malade ?... Elle est où ?... Oh, non, ce n'est pas important... Pour David Michael, je vous rappelle.

J'ai raccroché.

— Kristy est chez les Millaber si ça vous intéresse. Sa mère veut faire garder David Michael jeudi après-midi... je suis libre.

— Moi aussi, a annoncé Claudia.

— Moi aussi, a fait Lucy.

Aïe ! Dans ce cas, d'habitude, on dit des choses du genre : « J'ai deux autres baby-sittings cette semaine, tu peux y aller » ou « il y a un moment que tu n'as pas gardé David Michael, alors vas-y ».

Je n'étais pas convaincue que ça se passerait comme ça ce jour-là. J'avais raison. Claudia a pris trois bouts de papier, a fait une croix sur l'un d'eux, les a pliés en deux, avant de les mettre dans une boîte à chaussures.

— Chacune en pioche un, celle qui a la croix ira garder David Michael.

C'est Claudia qui a eu la croix.

— Hé ! s'écria Lucy, tu savais lequel c'était !

— Mais non, comment l'aurais-je su ?

45

– C'est toi qui as préparé les papiers.

– Tu me traites de tricheuse ?

– C'est toi qui le dis, pas moi.

« Oh, c'est pas vrai ! ai-je pensé, c'est reparti ! »

Finalement, Lucy a accepté que Claudia fasse le baby-sitting. Le téléphone a sonné encore deux fois avant la fin de la réunion, et on a réussi à se répartir le travail sans dispute.

À dix-huit heures, Lucy s'est levée et a quitté la chambre sans un mot. Claudia et moi, on s'est regardées, mais Claudia n'a pas prononcé un mot non plus. J'ai donc suivi Lucy. Mimi nous a regardées quitter la maison en silence. Alors que nous étions déjà dehors, Lucy s'est mise à courir mais, je ne sais pas pourquoi, je me suis retournée vers la maison. Claudia était à sa fenêtre. J'ai hésité, puis je lui ai fait un signe de la main. Elle m'a souri et m'a fait signe. Du coup, je suis revenue chez les Koshi et j'ai confié à Mimi le mot pour Claudia. Puis j'ai traversé la rue en courant jusque chez moi.

Mon père n'était pas encore là. À six heures et quart, comme il n'était toujours pas arrivé, je me suis décidée à appeler Claudia. Si je ne le faisais pas avant le dîner, je devrais attendre jusqu'au lendemain. J'ai composé le numéro de sa chambre.

– Allô, Claudia, ai-je commencé, nerveuse. C'est Mary Anne.

– Oh, salut. Mimi m'a donné ton mot. Merci.

– Ce n'est rien.

– Je te pardonne et je suis désolée de m'être fâchée aussi, a-t-elle fait assez sèchement.

– Bon…

Je ne savais plus quoi dire. Notre dispute était-elle terminée ?

– J'appelle à cause de Kristy aussi. Si elle était chez les Millaber pendant notre réunion, je suppose qu'elle ne veut plus faire partie du club. Enfin, je ne sais pas… Qu'est-ce que tu en penses ?

– Pour le moment du moins, je suppose, a approuvé Claudia.

– Que va devenir le club alors ? C'est elle, la présidente.

– Je sais. J'y pensais justement. On devrait peut-être arrêter d'accepter du travail si elle n'est pas là quand on le répartit entre nous.

– D'un autre côté, c'est son choix de ne pas venir aux réunions.

– Je ne sais vraiment pas quoi faire. Lucy est presque aussi fâchée que Kristy.

– Ce qui est curieux, c'est que Kristy n'a pas dit qu'elle voulait qu'on arrête le club, elle ne fait que l'ignorer. Mais le club est son idée. Pourquoi nous laisserait-elle le diriger alors qu'elle est fâchée contre nous ?

À l'autre bout du fil, Claudia haussait probablement les épaules.

– Toi et moi, on devrait parler à Lucy et à Kristy demain pour voir ce qu'elles veulent faire. On ne va sûrement pas continuer à avoir des réunions comme celle de tout à l'heure. Si tu parles à Kristy, je parlerai à Lucy.

— D'accord, mais ça ne va pas être facile.

Je ne lui ai pas raconté que Kristy m'avait claqué la porte au nez. Elle devait avoir autant de problèmes avec Lucy que moi avec Kristy.

Comment faire ? Je ne voulais pas retourner chez elle et j'avais l'impression que, si je l'appelais, elle me raccrocherait au nez. Il ne me restait plus qu'à essayer de la prendre par surprise.

Je lui ai tendu une embuscade au collège. À la sortie du vestiaire, je me suis postée devant elle.

— Excuse-moi, a-t-elle fait d'un ton hautain.

Mon cœur battait à tout rompre.

— Je dois te parler.

— Non.

— Si, il le faut.

— Non.

— Nous devons parler du club. Tu n'en fais plus partie ?

— Plus partie ? C'est mon club.

— C'est exact.

— Que veux-tu dire par « c'est exact » ?

— C'est ton club, mais tu n'as pas assisté à la réunion d'hier.

— C'est mon club, je ne suis pas obligée d'aller à la réunion.

– Mais tu as manqué pas mal de baby-sittings. On n'allait pas appeler chez les Millaber sans arrêt pour savoir si tu étais libre.

– Vous auriez dû, a-t-elle répliqué avec humeur.

C'était difficile pour moi de la contredire. J'ai plutôt l'habitude d'approuver les choses, mais j'ai respiré un bon coup avant de répondre :

– Pas selon le règlement. Claudia pense que pendant…

J'allais dire « pendant que nous sommes toutes fâchées », mais j'ai réalisé que ce n'était pas très délicat.

– Pendant…

– Pendant que nous sommes toutes fâchées ? continua Kristy.

– Eh bien… oui. Claudia et moi sommes les seules à nous parler, alors…

– Claudia et toi, vous vous parlez ?

– Oui.

– C'est chouette, les amies fidèles.

– Ouais, c'est chouette, on peut leur claquer la porte au nez ! ai-je rétorqué.

– D'accord, d'accord… Et si on répondait au téléphone chacune notre tour chez Claudia ? Une fois toi, une fois moi…

– Mais il faudrait appeler chaque membre chaque fois que quelqu'un nous contacte. On va passer des heures au téléphone !

Kristy a levé les yeux au ciel.

– Celle qui répondra chez Claudia prendra tous les baby-sittings, et elle proposera aux autres seulement ceux qu'elle ne pourra pas faire. D'accord ?

– D'accord. Je le dirai à Claudia.

– Hé, Mary Anne ! m'a hélée une voix du bout du couloir.

C'était Carla. Je me suis retournée pour lui faire un signe de la main. Elle a couru vers moi.

– Ça va ? C'était bien hier, hein ?

– Super ! Dis donc, tu pourrais venir chez moi samedi ? On n'a pas de magnétoscope, mais on pourrait faire des gâteaux.

J'ai jeté un regard à Kristy. Si elle continuait à ouvrir de si grands yeux, ils finiraient par sortir de leurs orbites.

– Bien sûr ! s'est exclamée Carla.

– Bon. À tout à l'heure à la cantine.

Carla est repartie gaiement dans le couloir.

Kristy me fixait toujours. Elle a fini par dire :

– Tu l'as invitée chez toi ? Mais, à part moi, tu n'as jamais invité personne. Tu n'invites même pas Claudia ou Lucy.

J'ai haussé les épaules.

– Carla est une amie.

Le visage de Kristy s'est crispé. Elle savait très bien à quel jeu je jouais, car c'est à ce moment qu'elle m'a annoncé :

– Au fait, maman me permet de sortir aussi tard que Lucy, vingt-deux heures le week-end et vingt et une heures trente toute la semaine.

C'était à mon tour d'ouvrir de grands yeux. Vingt-deux heures ? Ça voulait dire que j'étais le seul membre du club à devoir rentrer tôt maintenant.

Je suis devenue toute rouge. Kristy aurait aussi bien pu m'épingler un badge « bébé » sur mon pull, car j'en étais un. Le seul bébé du club.

Elle est partie avec un petit sourire satisfait.

J'ai baissé la tête, furieuse contre Kristy et contre mon père. Il fallait que je fasse quelque chose, mais quoi ?

6

Selon nos nouveaux accords, les réunions du club n'étaient plus assurées que par un seul membre à la fois. Le vendredi, c'était mon tour.

Comme Claudia et moi, nous nous parlions, elle est restée avec moi dans sa chambre, mais nous avons respecté le nouveau règlement de Kristy et j'ai pris tous les baby-sittings sauf un.

Le dernier appel était de Mme Prezzioso. Je la connaissais vaguement. Elle habitait près de chez Carla et c'était une amie des Pike, cette famille de huit enfants, où nous allons souvent.

— Allô, c'est Madeleine Prezzioso à l'appareil. À qui ai-je l'honneur ?

— C'est Mary Anne Cook.

— Oh, Mary Anne, bonjour, ma chérie. Comment allez-vous ?

— Bien. Merci, ai-je répondu poliment.

Je dois préciser que les Prezzioso sont des gens très stricts et très comme il faut. Mme Prezzioso est extrêmement maniérée et pointilleuse. Elle semble tout droit sortie d'un de ces magazines où l'on vous donne des conseils pour enlever les taches difficiles ou faire des courgettes en sauce.

Elle achète des costumes trois pièces à son mari, ainsi que des mouchoirs à ses initiales. Et Jenny, sa fille de trois ans, est habillée tous les jours comme pour le dimanche de Pâques. Elle lui met des rubans dans les cheveux et des chaussettes en dentelle aux pieds. Je n'ai jamais vu Jenny en jean. Pour Mme Prezzioso, jean est sans doute un gros mot.

On a l'impression que son mari aimerait parfois s'endormir devant sa télé, en survêtement. Et Jenny fait des efforts, mais elle n'est pas aussi parfaite que sa mère voudrait qu'elle soit.

— Je sais que j'appelle à la dernière minute, ma chère, mais j'ai besoin de quelqu'un samedi après-midi, car mon mari et moi sommes invités à un thé.

— Très bien. Je viendrai.

— C'est magnifique, chère Mary Anne. Merci. À seize heures samedi.

Le samedi après-midi, j'ai sonné chez les Prezzioso à trois heures et demie. Jenny s'est précipitée pour ouvrir. Je l'ai entendue tourner les verrous. Elle a entrouvert, mais la chaîne de sûreté était mise. *Blang !*

— Jenny ! s'est exclamée une voix derrière elle. As-tu demandé qui était là, avant d'ouvrir la porte ?

– Non, maman.

– Que dois-tu faire, quand on sonne ?

– Dire : « Qui est là ? »

– Alors, fais-le, s'il te plaît.

La porte s'est refermée et on a remis les verrous.

– Mary Anne, pourriez-vous sonner à nouveau, s'il vous plaît ? m'a demandé Mme Prezzioso.

J'ai obéi en retenant un soupir.

Ding-dong !

– Qui est là ? a demandé Jenny.

– C'est moi. Mary Anne Cook.

– Est-ce que je te connais ?

– Non. Je suis la baby-sitter.

– Je peux lui ouvrir maintenant, maman ?

– Oui, mon cœur, c'était très bien.

Enfin la porte s'est ouverte. Jenny et sa mère étaient sur leur trente-et-un. Mme Prezzioso avait la tenue idéale pour un thé huppé. Mais Jenny semblait un peu trop endimanchée pour un après-midi à la maison.

Elle portait une robe blanche ornée de kilomètres de dentelle et de ruban lavande, des chaussettes lavande assorties et des ballerines noires vernies. Ses cheveux avaient été frisés et étaient retenus en arrière par des barrettes, d'où s'échappaient de longs serpentins.

Franchement, sa mère n'avait plus qu'à la mettre en vitrine !

Jenny a regardé avec envie ma jupe en jean.

– J'aime bien ta jupe, Mary Anne.

– C'est une très belle jupe, a commenté sa mère, mais pas aussi jolie que ta robe neuve, mon petit ange !

Elle a attiré Jenny contre elle pour la couvrir de baisers bruyants.

– Qui est mon petit ange ?

Jenny s'est écartée de sa mère.

– C'est moi, maman.

– Notre petit ange n'est-il pas joli aujourd'hui ? m'a-t-elle demandé.

Notre ange ?

– Euh… Oui, bien sûr, ai-je répondu.

Jenny a eu un sourire adorable.

– Je suis prêt, Madeleine, a annoncé une voix à l'étage.

M. Prezzioso a dévalé les escaliers.

– Mon ange, sois gentille avec Mary Anne. Tu me le promets ?

Il l'a fait tournoyer dans les airs. La petite poussait des cris de joie.

– Oh, fais attention ! s'est écriée sa femme. Sa robe neuve… et ta veste. Nick, je t'en prie.

M. Prezzioso avait à peine reposé Jenny que sa femme s'est jetée sur lui pour arranger sa cravate, ajuster son veston et faire ressortir les initiales de la pochette. Puis elle s'est mise à côté de lui.

– Comment nous trouvez-vous, Mary Anne ? m'a-t-elle demandé.

J'ai rougi.

– On dirait… une photo de magazine, ai-je fini par lâcher.

C'était vrai, ils en avaient la pose et la raideur.

– Les numéros d'urgence sont à côté du téléphone et si nous ne sommes pas rentrés à dix-neuf heures, vous pouvez la faire dîner.

Nous avons accompagné ses parents jusqu'à la porte. Puis j'ai fermé les verrous et j'ai regardé Jenny.

– Que veux-tu faire maintenant ?

Elle s'est affalée sur le canapé en faisant la moue.

– Rien.

– Allez, il y a sûrement quelque chose que tu aimerais faire.

Jenny a secoué la tête.

– Non, non.

– Dans ce cas, c'est moi qui vais jouer seule avec le coffre à jouets.

Le coffre est une trouvaille de Kristy pour occuper et amadouer les enfants. Chacune de nous a décoré une boîte en carton, remplie de livres et de jeux. Les enfants que nous gardons adorent ça et sont toujours contents de nous voir arriver avec. Mais Jenny ne connaissait pas encore le coffre magique.

– C'est quoi ? a-t-elle demandé.

– Quelque chose que j'ai apporté avec moi.

Je l'ai ouvert par terre dans le salon. J'en ai sorti trois livres, deux jeux de société, une dînette et un album à peindre. Au bout d'un moment, Jenny a quitté le canapé et s'est approchée de moi.

— Je peux jouer avec ça ? a-t-elle demandé en prenant des casseroles et des plats de dînette.

— Bien sûr, c'est fait pour ça.

— Ça, c'est pour peindre ?

Je me suis mordu les lèvres.

— Oh… Oui. Mais tu ne veux pas essayer autre chose ?

— Je veux peindre !

J'ai regardé la robe d'un blanc immaculé, puis l'album à peindre. N'allait-on pas vers un beau gâchis ? Je suis allée dans la cuisine remplir un verre d'eau. Puis j'ai installé Jenny par terre avec la peinture.

— Tu as juste à passer sur les images et les couleurs apparaîtront. Rince bien le pinceau chaque fois, pour ne pas mélanger les couleurs. D'accord ?

Jenny a hoché la tête.

— Et… fais bien attention, ajoutai-je.

Elle était assise en tailleur, l'album devant elle. Elle a trempé le pinceau dans l'eau et l'a tendu lentement vers l'album. Ploc… ploc… ploc.

Trois petites gouttes d'eau sont tombées sur sa robe.

J'ai fermé les yeux. Heureusement, ce n'était que de l'eau.

— Tu ne voudrais pas mettre d'autres vêtements pour peindre ?

Je pensais qu'elle devait avoir quelque chose de plus adapté à se mettre.

— Non.

— Un tablier de ta maman ?

– Je ne veux pas de tablier !

Je l'ai observée barbouiller une grosse pomme, qui est devenue rouge. Jenny a soulevé le pinceau et l'a replongé dans l'eau. Tout allait bien. Je me détendais un peu. Puis elle a secoué le pinceau mouillé au-dessus de l'album. Deux minces filets roses sont apparus sur la robe.

« Ça devrait partir avec de l'eau », ai-je pensé. Mais je n'en étais pas si sûre.

Il fallait que Jenny mette un tablier, que ça lui plaise ou non. Je me suis précipitée dans la cuisine. Je venais d'en trouver un, quand j'ai entendu un :

– Ouuuh !

– Jenny ? Qu'est-ce qu'il y a ?

Silence puis :

– Rien.

Un rien de mauvais augure. J'ai couru vers elle. J'en ai eu le souffle coupé. Elle avait renversé tout le verre d'eau sur ses genoux. Une énorme tache rosâtre s'étendait rapidement sur sa robe. Jenny me fixait avec de grands yeux.

– Vite, enlève tout de suite ta robe.

– Non, non, non, non !

Elle s'est couchée sur le ventre, tapant des pieds et des poings. J'en ai profité pour déboutonner sa robe.

– Dépêche-toi, je te ferai un tour de magie après.

Elle a cessé de taper et de hurler.

– De la magie ?

– Oui. J'espère que je réussirai mes trucs.

Elle m'a laissée lui enlever sa robe, puis m'a suivie à la cuisine et m'a regardée passer la robe sous un filet d'eau au-dessus de l'évier. La tache est partie. J'ai poussé un soupir de soulagement.

— Ta maman a un sèche-cheveux ? ai-je demandé.

— Ouais.

Jenny, en riant, m'a aidée à sécher sa robe. Je lui ai dit qu'il fallait qu'elle mette autre chose, si elle voulait continuer à peindre. Elle m'a emmenée dans sa chambre et m'a montré un placard.

— C'est là que sont mes vêtements pour jouer.

En ouvrant le placard, j'ai trouvé trois piles de chemisiers et de pantalons, presque neufs, soigneusement pliés et rangés.

— Ce sont tes vêtements de jeu ?

Jenny a haussé les épaules, l'air de dire : « Tu aurais dû t'en douter. »

Bref, nous sommes redescendues et Jenny a passé l'après-midi à peindre… en sous-vêtements. Je l'ai rhabillée juste pour le retour de ses parents.

— A-t-elle été sage ? a demandé sa maman.

— Un ange, ai-je répondu, un vrai petit ange.

Jenny m'a souri. Notre secret était sauf.

7

Je ne pouvais plus y tenir. Il fallait que je demande à mon père la permission de sortir plus tard. Si les autres membres du club pouvaient faire du baby-sitting jusqu'à vingt-deux heures, pourquoi pas moi ?

J'ai le même âge que les autres, je suis tout aussi responsable qu'elles et je n'ai pas plus de travail qu'elles au collège.

La seule demande que j'avais dû refuser le vendredi après notre dispute était celle d'un client qui voulait une baby-sitter jusqu'à dix heures le samedi. C'est Kristy qui avait assuré la garde. J'étais vexée, mais j'avais peur d'affronter mon père. Il ne serait pas en colère, mais il ne tiendrait aucun compte de mon opinion, à moins que je ne sache exactement comment le prendre et je n'étais pas sûre de le savoir.

Mais le lundi soir, j'étais décidée à lui parler, peu importait comment j'allais m'y prendre. Par malheur, il est rentré de mauvaise humeur.

– J'ai perdu le procès Cutter aujourd'hui. Je n'arrive pas à le croire. Le jury a été tout à fait illogique.

J'ai hoché la tête.

– Papa…

– Honnêtement, les gens sont parfois dépourvus de moralité… Non, pas vraiment, mais irréfléchis, voilà, irréfléchis.

Nous étions en train de mettre le couvert pour dîner.

– Papa…, ai-je répété.

– Peut-on acquitter quelqu'un qui est de toute évidence coupable de vol ?

J'ai secoué la tête.

– Je suppose que non… Papa ?

– Oui, qu'y a-t-il, Mary Anne ?

À cet instant, j'aurais dû comprendre que ce n'était pas le moment, mais j'avais pensé toute la journée à ce que j'allais lui dire et je n'en pouvais plus d'attendre. Je ne savais pas si ça allait marcher, mais je me suis lancée :

– Papa, j'ai réfléchi. J'ai douze ans maintenant et je crois pouvoir sortir jusqu'à vingt-deux heures, à l'occasion, quand je fais du baby-sitting. Pas la semaine, bien sûr, parce que je dois me lever tôt le lendemain, mais seulement le vendredi et le samedi. J'ai réfléchi et…

Mais le téléphone a sonné. Mon père a bondi pour décrocher.

– Allô ? Oui, je sais, je sais… En appel. C'est ce que je pens… Quoi ? Oh, oui. Absolument…

La conversation a duré vingt minutes, pendant lesquelles notre pizza a eu le temps de décongeler, puis de brûler dans le four. Enfin, papa a raccroché, mais le téléphone a re-sonné aussitôt. Quand il a eu de nouveau raccroché, je lui ai presque jeté la pizza dans son assiette.

— Papa, je veux pouvoir sortir jusqu'à vingt-deux heures quand je fais du baby-sitting, ai-je alors insisté.

Mon père m'a fixée, le regard vide.

— Comment ?... Oh, Mary Anne, non... C'est hors de question.

— Mais... papa, toutes les autres ont le droit.

— Je n'en suis pas sûr du tout. Je serais étonné que tu sois la seule élève à ne pas pouvoir sortir après neuf heures du soir.

— Papa, je suis en cinquième, et je suis le seul membre du Club des Baby-Sitters qui ne peut pas sortir jusqu'à dix heures. Tu me traites comme un bébé. Mais, regarde-moi ! Je vais bientôt passer en quatrième !

Pendant un moment, mon père a paru troublé, puis son visage a changé d'expression. L'air las, il s'est frotté les yeux et a fini par dire doucement :

— Ce n'est pas facile pour un père d'élever sa fille, seul. Je dois être à la fois père et mère. En plus, je ne suis pas souvent à la maison. Je fais de mon mieux.

— Mais, Kristy, Claudia et Lucy...

— Ce qu'elles et leurs parents font ne nous concerne pas.

– Tu ne penses pas que Mme Parker est une bonne mère ? Tu crois que Mimi et les Koshi ne s'occupent pas bien de Claudia ?

– Là n'est pas la question. Moi, ce qui m'intéresse, c'est l'heure à laquelle tu vas au lit.

– Papa, je suis assez grande pour sortir jusqu'à dix heures. J'ai douze ans, je ne suis plus un bébé. Sinon pourquoi mes professeurs écriraient dans tous mes bulletins : « C'est un plaisir d'avoir une élève comme Mary Anne. Elle est responsable et mûre. »

– Tu ne le prouves pas en ce moment.

Je le savais. Je pleurnichais. Mais il était trop tard, je ne pouvais plus m'arrêter.

– Je n'ai plus l'âge non plus de porter ces tresses stupides et ma chambre a l'air d'une nursery. C'est une chambre de bébé.

Mon père m'a regardée avec sévérité.

– Jeune fille, je n'aime pas le ton sur lequel tu parles.

Je l'ai ignoré.

– Tu sais, tu n'es pas le seul parent à avoir des problèmes. Mme Parker est très peu chez elle et elle est seule pour élever Kristy et ses frères. Pour autant, ils n'ont pas Pinocchio accroché sur les murs de leur chambre. J'aimerais que les choses changent un peu ici. J'aimerais pouvoir choisir mes vêtements. J'aimerais me coiffer autrement qu'avec des tresses. J'aimerais porter des collants, mettre du vernis à ongles. Et si un garçon m'invite au cinéma, j'aimerais pouvoir lui dire oui sans avoir à te le demander d'abord. Tu sais quoi ? Parfois j'ai l'impression d'avoir un gardien de prison plutôt qu'un père.

À ce moment précis, j'ai compris que j'étais allée trop loin. Mon père s'est retourné et, d'un ton extrêmement calme, il m'a dit :

— Mary Anne, la discussion est close. Va dans ta chambre, s'il te plaît.

J'ai quitté la pièce. C'était affreux. Je lui avais fait de la peine sans le vouloir. Mais que pensait-il qu'il arriverait, si jamais je défaisais mes nattes ou enlevais Pinocchio de ma chambre ? Pensait-il que j'allais m'enfuir ou aller traîner toute la journée dans les rues ? Et que pouvait-il arriver entre vingt et une et vingt-deux heures, qui ne puisse aussi arriver avant vingt et une heures ?

Je ne connaissais pas les réponses, mais Mimi, elle, les connaîtrait sûrement. Elle savait écouter patiemment et je parlais souvent avec elle de choses dont j'aurais aimé parler avec ma mère. En tout cas, je parlais avec elle de choses dont je ne pouvais pas discuter avec mon père.

Je lui ai rendu visite le lendemain après les cours. Le matin, je m'étais excusée deux fois auprès de mon père. Il avait accepté mes excuses, mais nous étions toujours un peu en froid.

— Bonjour, Mary Anne, m'a lancé Mimi en ouvrant la porte. Tu es venue voir Claudia ? Elle n'est pas là. Elle fait un baby-sitting chez les Marshall, je crois.

– Oh, non. C'est vous que je viens voir. Je me demandais si nous pourrions parler…

– Bien sûr. Entre, je t'en prie. Veux-tu du thé, Mary Anne ?

– Oui, merci.

Je n'aime pas vraiment le thé, mais j'aime en boire avec Mimi. Elle le sert dans de petites tasses sans anses, et je peux y mettre tout le lait et le sucre que je veux.

Je l'ai suivie dans la cuisine. Mimi a posé le service à thé sur la table et fait chauffer de l'eau. Elle a pris quelques biscuits dans une boîte et les a disposés sur une assiette. Quand tout a été prêt, elle s'est assise en face de moi.

– Le temps est triste, a-t-elle commencé en montrant les arbres sans feuilles secoués par le vent et ruisselants de pluie.

– Oui, ai-je confirmé.

Je me sentais triste moi aussi.

– Par ce temps-là, a poursuivi Mimi, je pense au printemps. La neige me fait aimer l'hiver, mais pas ce temps sinistre. Nous aurons peut-être la chance que les beaux jours arrivent vite cette année.

J'ai souri.

– Ce serait super !

– Et toi, comment te sens-tu quand il fait ce temps-là ?

J'ai regardé Mimi. Ses cheveux noirs, depuis longtemps striés de blanc, étaient noués en chignon sur sa nuque.

Elle ne portait aucun bijou. Elle n'était pas maquillée et son visage était tout ridé. Je la trouvais belle. Sans doute à cause de son imperturbable sérénité.

– Je supporte assez bien le temps, mais assez mal mon père... Mimi, pensez-vous que je suis différente de toutes les autres filles de douze ans ?

– Que veux-tu dire par là ?

– Suis-je... aussi responsable, aussi mûre, aussi intelligente que les autres ? Est-ce que j'aime les mêmes choses qu'elles ?

À sa place, la plupart des adultes auraient dit quelque chose du genre : « C'est difficile de répondre » ou « Que veux-tu vraiment savoir ? ».

Mais Mimi, elle, a posé sa tasse. Elle m'a regardée et a fini par répondre :

– Oui, tu me sembles être une fille de douze ans comme les autres. Tu ne portes pas le même genre de vêtements que Claudia, mais je ne pense pas que ça veuille dire grand-chose. Tu es très responsable et tu sembles aussi très mûre. Mais tu es aussi trop sérieuse, et il est faux de confondre sérieux et maturité.

Ça me dépassait un peu, mais ce qui comptait, c'est qu'elle pensait que j'étais semblable à n'importe quel autre enfant de mon âge.

– Alors Mimi, ai-je poursuivi, comment se fait-il que je ne puisse pas décorer ma chambre comme je le veux ? Vous savez ce qu'il y a sur mes murs ? Alice au pays des merveilles et Pinocchio... Vous savez qui est Pinocchio ?

— Oh, oui. La marionnette en bois, dont le nez s'allonge quand elle ment.

J'ai ri, retrouvant vite mon sérieux.

— Oui, mais ces posters sont bons pour les bébés, pas pour la chambre d'une fille de douze ans. Mais papa ne veut pas que je les enlève et il ne veut pas non plus que j'en ajoute d'autres à côté. Je n'ai pas le droit d'avoir les cheveux lâchés, ni de sortir après neuf heures dernier délai. Claudia, Kristy et Lucy ont le droit de faire toutes ces choses… et même plein d'autres. À chaque instant, je me heurte à une nouvelle interdiction de mon père : « Tu ne dois pas aller en ville à vélo, tu ne dois pas porter de jean pour aller en classe, tu ne dois pas faire ceci, tu ne dois pas faire cela. »

Je me suis interrompue pour reprendre mon souffle. Mimi a levé légèrement les sourcils.

— Je sais que ce n'est pas facile pour toi, a-t-elle commencé, en buvant son thé à petites gorgées. Et on t'a sûrement répété que ton père faisait de son mieux.

J'ai hoché la tête.

— Je vais te dire quelque chose que j'ai souvent dit à ma Claudia. Si tu n'aimes pas certaines choses, tu dois les changer toi-même.

— Mais j'ai essayé !

— Tu n'as peut-être pas encore trouvé le bon moyen. Si c'est vraiment important pour toi, il y a sûrement un moyen de changer les choses. Et je sais que toi, ma Mary Anne, tu vas trouver ce moyen.

À ce moment-là, Claudia a fait irruption dans la cuisine.

— Qu'est-ce que j'ai entendu ? a-t-elle demandé à Mimi d'un ton accusateur.

— Claudia, tu as déjà fini ton baby-sitting ?

Elle a ignoré la question.

— Je t'ai entendue, a-t-elle crié en jetant un regard furieux à Mimi. Tu l'as appelée ma Mary Anne.

— Oui, et alors ? a répliqué Mimi tranquillement.

— Mais, il n'y a qu'à moi que tu parles comme ça. Tu ne dis même pas ma Jane… Je pensais qu'il n'y avait qu'à moi…

J'avais rarement vu Claudia si bouleversée, même quand elle avait de mauvaises notes ou quand l'Agence de baby-sitters avait failli faire disparaître notre club. Elle était debout devant nous et des larmes coulaient le long de ses joues. Elle est partie en courant.

— Oh, non, ai-je soupiré.

— Ne t'en fais pas, m'a rassurée Mimi. Tout est ma faute. Je vais parler à Claudia et dissiper ce malentendu.

Elle s'est levée et j'en ai fait autant.

— Merci, Mimi.

Après m'avoir embrassée, elle s'est dirigée vers les escaliers, et moi, je suis partie.

Comment changer les choses ? Je n'en avais aucune idée. Et pourtant, il fallait que je trouve. Toute seule.

8

Mardi

Je suis furieuse ! Je sais que ce journal sert à noter nos problèmes de baby-sitters, mais celui-ci concairne un membre du club. Son nom est Mary Anne Cook ou, comme certains l'appellent aussi, « ma Mary Anne ». Comment Mary Anne fait-elle pour être si proche de Mimi ? Ce n'est pas juste. C'est une chose qu'elle lui apprenne à tricotter, mais c'en est une autre qu'elles prennent le thé ensemble dans des petites tasses spéciales et que Mimi l'appelle « ma Mary Anne ». C'est une trètresse. Voilà.

Ouah ! ce que Claudia était en colère. Mimi s'était excusée et avait essayé de lui expliquer les choses, mais Claudia ne me parlait plus, ce qui voulait dire que, à nouveau, tous les membres du club étaient fâchés.

À deux reprises, j'avais essayé d'appeler Kristy à sa fenêtre, avec ma lampe de poche. La première fois, la chambre de Kristy était restée dans l'obscurité. La

69

seconde fois, il y avait de la lumière, mais elle n'était pas venue à la fenêtre. Je l'avais vue en train de faire ses devoirs, parler à sa mère et jouer avec son chien Foxy. Mais elle n'avait pas levé une seule fois les yeux vers la fenêtre.

Combien de temps encore allait durer notre dispute ? J'ai pensé en parler à Carla, mais j'y ai renoncé.

Quand j'ai dû de nouveau répondre aux appels téléphoniques pour le club, ça n'a pas été facile. D'abord, Claudia était chez elle et pas très contente de me voir dans sa chambre. Elle a mis la musique à fond. C'est à peine si j'entendais la sonnerie du téléphone.

– Allô, ai-je crié dans le récepteur, ici le Club des Baby-Sitters.

J'étais sûre qu'on me parlait, mais je n'entendais qu'une chose : « Doun da da doum da da doum da. Je ne peux vivre sans toi-oi-oi. »

– Quoi ? ai-je hurlé.

« Da dou dou da dou di. Tu es toute ma vie-ie-ie. »

– Claudia, peux-tu baisser le son, s'il te plaît ?

Claudia a fait comme si de rien n'était et s'est mise à chanter :

– Da dou dou da dou di, la belle vie-ie-ie !

J'ai plaqué ma main sur mon oreille.

– Allô ?

J'ai alors entendu une voix :

– Pourquoi tu cries ? Tout va bien ?

– Madame Newton ? Je veux dire, est-ce vous, madame Newton ?

70

– Oui. Mary Anne ? Qu'est-ce que c'est que tout ce bruit ?

– Oh… juste un peu de musique.

– Écoute ! J'ai besoin d'une baby-sitter mercredi après-midi pour garder Simon. Je vais voir des amis et j'emmène le bébé avec moi. Y a-t-il quelqu'un de libre ?

Entre deux chansons, le bruit a cessé. J'entendais beaucoup mieux.

– Je vais me renseigner, en tout cas, moi je ne peux pas.

– Peux-tu demander à Kristy, s'il te plaît ? Simon serait content de la voir.

– Pas de problème, ai-je répondu à contrecœur.

Zut. Il allait falloir téléphoner à Kristy.

– Je vous rappel…

« Oh, mon amour, mon amour, tu es triste », recommençait à hurler le chanteur.

Heureusement, j'avais raccroché. Mimi est alors entrée dans la chambre. Elle avait dû frapper, mais bien évidemment, nous ne l'avions pas entendue. Elle a fait signe à Claudia, qui avait légèrement baissé le son.

– Claudia, je dois te demander d'écouter ta musique plus doucement. C'est beaucoup trop fort. Je voulais te proposer de descendre boire une tasse de thé avec moi, pendant que Mary Anne répond au téléphone.

Claudia a réfléchi. Elle a fini par arrêter la musique et a suivi Mimi. En sortant, elle m'a tiré la langue,

71

et j'ai fait de même. Elle a claqué la porte. Les doigts tremblants, j'ai composé le numéro des Parker. Kristy a répondu.

– Allô, c'est Mary Anne Cook.

Silence. Puis :

– Oui ?

Elle aurait pu répondre autre chose !

– Mme Newton veut quelqu'un pour garder Simon mercredi. Elle aimerait que ce soit toi. Tu peux y aller ?

– Ouais.

– Parfait, je vais la rappeler.

– Hé, attends !

Non ? Je n'y croyais pas ! Kristy allait me faire la grande scène des excuses. Après tout ce temps, Kristy l'autoritaire allait céder la première, alors que moi, Mary Anne la timide, avais tenu bon. Notre dispute était enfin finie ! J'étais si heureuse à cette idée…

– Ouais ? ai-je fait.

– À quelle heure veut-elle que je vienne ?

– Demande-lui toi-même, ai-je répliqué en raccrochant.

Puis j'ai rappelé Mme Newton.

Le coup de fil suivant était de Jim, qui cherchait une baby-sitter pour le samedi après-midi suivant.

– Je sais que ce n'est pas dans les habitudes de votre club, m'a-t-il expliqué, mais peux-tu demander à Kristy d'abord ? J'aimerais bien qu'Andrew et Karen la voient régulièrement, puisqu'elle sera bientôt leur demi-sœur.

– Bien sûr…

J'étais découragée.

Que pouvait-il encore m'arriver ? J'ai composé à nouveau le numéro de Kristy. C'est David Michael qui a répondu.

– Allô, qui est à l'appareil, s'il vous plaît ?

– C'est Mary Anne.

– Salut ! Quand vas-tu revenir me garder ? Tu te souviens la dernière fois quand on a joué aux quilles avec des gobelets en carton ?

– Oui. C'était amusant, hein ?

– Ouais.

– David Michael, peux-tu appeler Kristy ? Je dois lui parler.

– Bien sûr.

Quand Kristy a pris l'appareil, elle n'a pas dit un mot. J'ai deviné sa présence à sa respiration.

– Kristy ?

– Quoi ?

– Jim veut que tu ailles garder ses enfants samedi… de quatorze heures trente à dix-sept heures, ai-je précisé.

– D'accord.

– Je le rappelle. Au revoir.

J'avais à peine raccroché que le téléphone a sonné à nouveau.

– Mary Anne, c'est encore Mme Newton. J'ai oublié de te demander, si toutes les quatre, vous vouliez venir au goûter d'anniversaire de Simon. C'est dans deux semaines, et j'aimerais que vous soyez là en tant qu'invitées et en tant que baby-sitters. Il y aura seize enfants et j'aurai bien besoin d'aide.

– Bien sûr ! me suis-je exclamée. Je veux dire, si c'est possible. Ce serait sympa. Je vais appeler les autres.

Mme Newton m'a donné des détails sur ce goûter et j'ai entrepris d'appeler les autres. Par chance, Lucy n'était pas chez elle et j'ai simplement laissé le message à Mme MacDouglas.

Je n'avais aucune envie de rappeler Kristy une troisième fois et je ne voulais pas non plus parler à Claudia. J'ai donc tiré au sort pour savoir par qui commencer. J'ai lancé une pièce. Claudia. J'ai descendu lentement les escaliers et je l'ai trouvée en train de boire du thé avec Mimi.

– Claudia ?

Elle a posé sa tasse et s'est bouché les oreilles :

– La, la, la !

Elle fermait les yeux et chantait à tue-tête :

– Je ne t'entends pas.

J'ai lancé un regard désespéré à Mimi, qui s'est penchée par-dessus la table pour toucher légèrement le bras de Claudia. Cela fut suffisant pour qu'elle se comporte à nouveau comme un être humain. Elle a ouvert les yeux et ôté les mains de ses oreilles.

– Mme Newton demande que nous allions toutes les quatre l'aider pour le goûter d'anniversaire de Simon. Tu es d'accord ?

– Oui, a-t-elle répondu, j'irai.

Je me demandais si c'était une si bonne idée. Comment pourrions-nous aider à organiser un goûter si nous ne nous parlions toujours pas ? Quoi qu'il en soit, je suis remontée dans la chambre de Claudia, pour rappeler Kristy une troisième fois.

– Qu'est-ce qu'il y a ? a-t-elle demandé, visiblement agacée.

Je lui ai expliqué. Elle a soupiré.

– Bon, j'irai aussi.

– Ne te force pas. Je peux dire à Mme Newton que tu es prise.

– Tu n'oserais pas !

– Je te proposais juste une autre solution.

– Ouais, c'est ça !

Et elle a raccroché.

Il était déjà près de dix-huit heures, mais j'ai encore reçu deux autres appels. L'un de Mme Prezzioso, qui voulait que je garde Jenny. J'ai vérifié dans l'agenda que j'étais libre et lui ai confirmé que je viendrais. L'autre appel était de Mme Pike, qui est la mère de huit enfants.

Les Pike sont de bons clients, bien qu'ils n'aient besoin de baby-sitters que pour leurs plus jeunes enfants. En général, les plus grands se gardent seuls. Mais cette fois, la demande de Mme Pike était différente.

– Voilà, Mary Anne. Mon mari et moi sommes invités à un cocktail. Nous serons de retour à vingt et une heures… mais nous ne voulons pas laisser les enfants seuls. En fait, il nous faudrait deux baby-sitters.

– OK.

J'ai expliqué à Mme Pike que je la rappellerais dès que j'aurais trouvé une deuxième baby-sitter. J'ai alors consulté l'agenda. Je n'en croyais pas mes yeux. La seule autre personne libre était Kristy. Sans me poser de question, j'ai pris le téléphone et composé le numéro. Kristy a répondu.

– C'est encore moi. Les Pike veulent deux baby-sitters vendredi. Nous sommes les deux seules libres. Il faudra garder tous les enfants. Tu serais d'accord ?

– Avec toi ?

– Oui.

– Pas vraiment.

– Bon. Je demanderai à Carla Schafer de venir avec moi. Je ne veux pas laisser tomber les Pike.

– Quoi ?

– Il le faudra bien.

– Mary Anne Cook, pour quelqu'un de timide, tu peux être vraiment…

– Quoi. Je peux être quoi ?

– Laisse tomber. Je viendrai avec toi.

– Il faudra faire preuve de maturité, tu sais.

– C'est toi qui dis ça ?

– Je suis sérieuse, Kristy. Tu ne veux sûrement pas que les enfants Pike racontent à leurs parents que nous nous sommes disputées devant eux ?

– Aucun problème pour ça.

— Pourquoi ?

— Parce que je ne te parlerai pas.

— Bien.

Je lui ai raccroché au nez. Puis j'ai noté notre rendez-vous dans l'agenda et j'ai rappelé Mme Pike.

Je ne me réjouissais pas du tout d'aller faire du baby-sitting avec Kristy Parker.

9

Samedi

Hier, Mary Anne et moi, nous avons gardé les enfants Pike. Je suis vraiment surprise que nous nous en soyons sorties. Il y avait pourtant deux obstacles de taille :
1) Il est difficile de garder huit enfants à la fois sans devenir folle.
2) Il est encore plus difficile pour deux baby-sitters de faire leur travail sans échanger un seul mot.

Nous pourrions figurer dans le livre des records du baby-sitting. Car une garde comme celle-ci demande beaucoup d'imagination.

Kristy a tort. Ça nous a demandé beaucoup plus que de l'imagination. Il faut vraiment être fâché avec quelqu'un pour faire ce que nous avons fait chez les Pike ce soir-là.

Avant de vous le raconter, laissez-moi vous présenter les enfants Pike. La chose la plus remarquable est que trois d'entre eux sont des triplés : Byron, Adam et Jordan, trois garçons de neuf ans qui se ressemblent comme trois gouttes d'eau. (Kristy et moi arrivons à les différencier, malgré tout.) L'aînée, Mallory, a dix ans. En général, elle aide beaucoup les baby-sitters. Après les triplés viennent Vanessa, huit ans, Nicky, sept ans, Margot et Claire, qui ont six et quatre ans.

Bref, une famille plutôt nombreuse, mais ce sont de gentils enfants, que leurs parents élèvent de façon très particulière. Il leur arrive parfois de faire des choses vraiment bizarres. Par exemple, il arrive que Claire se déshabille et coure toute nue dans la maison. Personne n'y prête attention. Au bout d'un moment, elle se rhabille. De même, chaque enfant doit aller au lit à une heure précise, mais aucun n'éteint ou ne dort tant qu'il, ou elle, n'en a pas envie. Et ils ne sont pas obligés de manger ce qu'ils n'aiment pas.

Kristy et moi, nous sommes arrivées chez les Pike à cinq heures, le vendredi. Chacune de notre côté, bien sûr. Je dois avouer que j'ai suivi Kristy de très près, tout le long du chemin. Je marchais très lentement, pour qu'elle ne s'aperçoive pas de ma présence. Elle s'est retournée une fois brusquement et j'ai dû me cacher très vite derrière un bosquet pour qu'elle ne me voie pas. Une fois devant chez les Pike, je suis restée près du garage, pendant que Kristy entrait dans la maison. J'ai attendu que la porte se referme derrière elle pour aller sonner à mon tour. Les parents étaient pressés. Mme Pike m'a fait entrer en vitesse et nous a donné ses instructions, à Kristy et à moi.

Après leur départ, tous les enfants nous ont entourées, Kristy et moi. Ils aiment bien les baby-sitters.

— Qu'est-ce qu'il y a à dîner ? a demandé Byron, dont la passion est de manger.

— Du poulet froid ou du thon, a répondu Kristy.

— Est-ce que je pourrais avoir les deux ?

— Non, a dit Kristy.

— Oui, ai-je dit en même temps.

— Je n'aime pas le poulet et le thon, s'est plainte Margot.

— Fais-toi une tartine de beurre, alors, a suggéré Mallory.

— Quand est-ce qu'on mange ? a repris Byron.

— À sept heures moins le quart, ai-je répondu.

— À sept heures, a corrigé Kristy.

— Je peux regarder des dessins animés ? a demandé Claire.

— On peut organiser une course d'obstacles dans le salon ? a demandé Byron, porte-parole des triplés.

— Je peux lire ? a demandé Vanessa qui est la plus calme. Je suis au milieu du *Mystère de la maison hantée*.

— Je peux faire des coloriages ? a demandé Margot.

— On peut jouer au foot ? a demandé Nicky.

— Je peux vous aider à préparer le dîner ? a demandé Mallory.

— Oui, non, oui, oui, non et oui, ai-je répondu.

Les enfants ont ri tandis que Kristy faisait la grimace.

– On n'a qu'à faire quelque chose tous ensemble, a suggéré Adam. Nous sommes dix, on peut former deux équipes de cinq.

– Hé, Kristy ! ai-je repris, soudain pleine d'enthousiasme. C'est vrai, si on organisait un jeu ?

Kristy a fait celle qui n'entendait pas. J'ai fait la grimace à mon tour.

– Mallory, explique à Kristy que ce serait amusant de faire un jeu.

– Kristy, a commencé Mallory, Mary Anne dit… mais pourquoi n'aurait-elle pas entendu, Mary Anne ? Elle n'est pas sourde.

– Je sais. Alors on va… on va jouer au téléphone arabe, ai-je proposé.

– Tout le monde est d'accord ? a demandé Mallory à ses frères et sœurs. Mettons-nous en ligne ici dans le salon. Kristy à un bout et Mary Anne à l'autre. On commence, vas-y Mary Anne.

Je me suis penchée vers Adam, qui était à côté de moi, et lui ai murmuré :

– Kristy Parker est une tête de pioche.

Adam a pouffé. Puis il a transmis à Jordan, Jordan à Claire et ainsi de suite. Quand le message est parvenu à Kristy, elle a eu l'air perplexe.

– Quoi ? dit Mallory. Qu'est-ce que tu as entendu ?

– J'ai entendu : le moulin a de la brioche.

Les enfants Pike étaient pliés de rire.

— Mary Anne, dis-nous ce que tu as vraiment dit, s'est écriée Mallory.

Ce que j'avais vraiment dit ! J'avais oublié cette règle du jeu. J'ai réfléchi un instant.

— J'ai dit : les tambourins de cristal…

— C'est pas vrai, m'a coupée Adam. Tu as dit… Je veux dire… Je veux dire… Oh, je ne sais plus ce que tu as dit !

Tout le monde a ri à nouveau.

— Kristy, à toi maintenant.

Elle m'a ignorée. J'ai murmuré à Adam :

— Dis à Kristy de commencer le jeu.

Le temps que le message lui parvienne, il s'était transformé en : « Ris et change de vœu ! »

— Non. Commence le jeu ! a crié Adam.

On a joué encore un moment, en mettant les enfants, à tour de rôle, à chaque extrémité. Par chance, Kristy et moi, on ne s'est jamais retrouvée l'une à côté de l'autre. À six heures et demie, Byron a regardé sa montre et a annoncé :

— C'est l'heure de dîner ! On y va !

— OK, a fait Kristy. Tout le monde à la cuisine !

Elle semblait avoir oublié qu'elle avait annoncé le dîner pour sept heures. J'ai bien vu qu'elle voulait diriger les opérations.

— Allez vous laver les mains ! ai-je ordonné aux enfants.

— Non, on n'est pas obligés, a fait Nicky.

— Que si on a envie, a ajouté Margot.

Kristy m'a souri, l'air satisfait. Dans la cuisine, ce fut un beau chahut. Dix personnes s'y agitaient, prenant couverts, assiettes et verres et n'arrêtant pas d'ouvrir le réfrigérateur pour en sortir de la nourriture. Kristy a alors glissé ses doigts dans sa bouche et a sifflé très fort. Soudain, le silence s'est fait.

— Maintenant du calme ! a-t-elle crié.

— Il faut un peu d'ordre, ai-je ajouté.

— Quoi ? a fait Kristy. Quelqu'un a parlé ?

— Elle a dit qu'il fallait de l'ordre, a répliqué Mallory.

Les enfants se sont transmis le message l'un à l'autre. Claire, qui était près de Kristy, a répété :

— Il faut de l'ordre, Kristy.

Kristy a souri.

— Dis à Margot de s'asseoir.

— Assieds-toi, a fait Claire en s'installant à la grande table de la cuisine.

Margot s'est assise.

— Assieds-toi, a-t-elle dit à Nicky.

Et ainsi de suite jusqu'à Byron, qui était déjà assis et attendait pour manger. Tout le dîner s'est déroulé ainsi. Pas une fois, Kristy n'a eu à me parler ou inversement. Les enfants ne se rendaient pas du tout compte que quelque chose n'allait pas entre nous deux. Ils ne pensaient qu'à poursuivre le plus longtemps possible leur jeu.

Il était plus de huit heures quand le repas s'est terminé. Il avait duré plus longtemps que d'habitude, car chaque phrase avait été répétée neuf fois pour les besoins du jeu et pour le plus grand plaisir de tous. J'ai décidé que le repas devait s'arrêter là, quand Nicky, assis entre Claire et Jordan, s'est tourné vers Jordan en clamant :

— Dis à Claire qu'elle a une tête de hot dog.

Nicky a ri tellement fort qu'il en a recraché son lait sur la table.

— C'est terminé. Aidez-nous à ranger et à mettre la vaisselle sale dans le lave-vaisselle, ensuite nous ferons quelque chose.

— Quoi ? a demandé Mallory.

— Un jeu, ai-je annoncé fermement, sans me soucier de l'avis de Kristy.

Je me fichais de savoir si elle en avait envie ou pas, et je ne voulais pas que la question soit posée dix fois avant de connaître la réponse. Quand la cuisine a été rangée (laisser une maison impeccable derrière soi fait aussi partie du travail d'une bonne baby-sitter), j'ai rassemblé les enfants et Kristy, peu enthousiaste, dans le salon.

— Maintenant, nous allons faire…

—… Ce que vous voulez, m'a coupée Kristy.

Je me suis efforcée de ne pas montrer ma colère. J'avais pensé leur raconter des histoires mais, après l'intervention de Kristy, tout le monde s'est mis à parler. Après dix minutes de discussion, on a décidé de faire deux jeux différents. Kristy, les triplés et Mallory ont fait un Trivial Pursuit. Nicky, Vanessa, Claire et

Margot ont lu *Jeannot Lapin*. Les enfants se sont beaucoup amusés et, quand j'ai regardé l'heure, il était déjà huit heures et demie. Il était temps de mettre Claire et Margot au lit. J'ai réalisé que si les Pike n'étaient pas de retour d'ici vingt minutes, je ne serais pas chez moi à vingt et une heures. Mais ils avaient promis de rentrer avant vingt et une heures et, en général, ils tenaient leurs promesses. J'ai donc mis Claire et Margot au lit, pendant que Nicky et Vanessa enfilaient leur pyjama. Kristy est restée en bas avec Mallory et les triplés. Quand les deux plus jeunes ont été couchées, j'ai proposé à Nicky et à Vanessa de leur lire une histoire.

— Oui ! Oui ! On est en train de lire *Le Petit Prince*.

On en a lu quelques pages.

J'ai consulté ma montre. Neuf heures moins cinq ! Que faire ? Si je partais, les Pike seraient contrariés. Après tout, ils payaient deux baby-sitters ! Si j'étais en retard chez moi, c'est papa qui serait contrarié. Par chance, alors que je commençais à paniquer, je les ai entendus arriver.

— Vos parents vont venir vous dire bonsoir dans un instant, ai-je dit à Nicky et à Vanessa, avant de me précipiter en bas.

Je n'avais pas le temps d'être très polie.

— Madame Pike, ai-je fait, hors d'haleine, sans oser regarder Kristy, je devrais déjà être à la maison ! Il est presque vingt et une heures !

— Je sais. Excusez-nous. Nous avons été pris dans les embouteillages. Grimpez vite dans la voiture de mon mari, toutes les deux. Il va vous déposer chez vous.

– D'accord. Merci. Au revoir.

Quand M. Pike nous a laissées devant chez nous, il était neuf heures cinq. Il nous a donné un peu plus d'argent que prévu, à cause du retard, ce qui était gentil.

J'ai piqué un sprint jusqu'à ma porte. Juste comme j'arrivais, j'ai entendu quelqu'un scander dans le noir :

– Bébé, bébé, bébé !

Humiliée, je suis vite rentrée chez moi. Mon père m'attendait.

10

— Bonsoir, papa, ai-je fait avec appréhension.

— Mary Anne, je commençais à m'inquiéter.

— Excuse-moi pour le retard. Les Pike ont été pris dans les embouteillages. Ils n'y pouvaient rien… et moi non plus.

— Ce n'est pas grave. Il n'est que neuf heures cinq. Ce sont des choses qui arrivent.

J'étais tellement soulagée que je suis repassée à l'attaque.

— Tu sais papa, ce serait beaucoup plus facile pour les parents si je pouvais garder leurs enfants un peu plus tard… disons vingt-deux heures ou même vingt et une heures trente.

— Mary Anne, nous en avons déjà parlé. Si les gens veulent quelqu'un qui puisse rester tard chez eux, alors il faut qu'ils cherchent une personne plus âgée.

— Mais Claudia, Kristy et Lucy…

— Je sais. Elles ont le droit de sortir plus tard et elles ont ton âge.

– Exactement.

– Mais elles ne sont pas toi, et je ne suis pas leur père. Je fais ce que je pense être le meilleur pour toi.

J'ai hoché la tête.

– Et la prochaine fois que tu sauras que tu vas être en retard – pour une raison ou une autre – appelle-moi, pour me prévenir, d'accord ?

– D'accord !

Essayait-il de me dire quelque chose ? Voulait-il me faire remarquer que je n'avais pas été très responsable ? Peut-être que si je l'étais plus, il me laisserait sortir plus tard. Il décidait ce que je pouvais faire ou non par rapport à mon sens des responsabilités et non par rapport à mon âge. Il fallait que j'y réfléchisse.

C'est ce que j'ai fait en montant dans ma chambre. Je me trouvais déjà assez responsable. Je faisais toujours mes devoirs, j'avais toujours de bonnes notes en classe. En général, je faisais les choses à temps. Je préparais toujours le dîner pour papa et moi. Je faisais presque tout ce que mon père me disait de faire. Pourtant… je pouvais certainement encore faire des progrès. J'aurais pu appeler papa de chez les Pike, au lieu de paniquer. Il fallait que j'apprenne à affronter les choses qui m'effrayaient.

L'une de mes grandes peurs, c'est d'affronter des gens que je ne connais pas – comme prendre le téléphone pour obtenir un renseignement, ou parler à un vendeur ou demander mon chemin. Papa sait tout cela. Il fallait que je cesse de fuir devant ces choses, il le remarquerait sûrement.

Bien que mon père ne sache rien de la dispute des membres du club, il était réellement temps d'y mettre un terme. Que ce soit ma faute, celle d'une autre, ou celle de toutes, il fallait en finir une bonne fois. Ça au moins, c'était être une jeune fille responsable.

Je me rendais compte que la soirée chez les Pike aurait pu tourner au désastre. Si les enfants avaient remarqué que Kristy et moi étions fâchées, c'est la réputation du club qui en aurait souffert. Par chance, les enfants Pike sont faciles à garder et ont le sens de l'humour. Et s'il était arrivé quelque chose à l'un d'eux et que Kristy et moi, nous ne soyons pas tombées d'accord sur ce qu'il fallait faire ? En plus de ça, ne pas faire de réunions était idiot. Il était temps de reprendre les choses en main, avant que le club ne finisse par disparaître tout à fait.

Comme Kristy en est la présidente, je pensais que le meilleur moyen était de me réconcilier avec elle. Ça allait être une rude épreuve, mais ce serait avoir le sens des responsabilités.

Comment faire ? Longtemps après avoir éteint ma lampe, j'ai réfléchi dans mon lit. Je pourrais lui écrire un mot et lui envoyer cette fois :

Chère Kristy,
Je suis vraiment désolée de notre dispute. Réconcilions-nous et soyons amies à nouveau.
Ta meilleure amie (je l'espère).
Mary Anne

C'était bien. Court, mais gentil. Et sincère. J'étais vraiment désolée de cette dispute. Peu importe qui avait commencé. Et je voulais vraiment qu'on soit amies à nouveau.

Le lendemain était un samedi, mais je me suis réveillée tôt quand même. J'ai pris mon petit déjeuner avec mon père. Puis je suis remontée dans ma chambre écrire le mot pour Kristy.

Mais comment allais-je faire pour le lui remettre ? Si je le lui portais moi-même, elle me claquerait la porte au nez. Je pourrais peut-être le déposer dans sa boîte aux lettres ou le donner à David Michael, pour qu'il le lui donne. Non. Comment saurais-je si elle l'avait lu ?

Un mot n'était peut-être pas une bonne idée, mais je ne voyais pas d'autre moyen de réconciliation.

À ce moment-là, le téléphone a sonné. Mon père m'a appelée. C'était pour moi. J'ai couru, espérant que c'était peut-être Kristy qui appelait pour s'excuser.

Mais non, c'était Carla. J'étais contente d'avoir de ses nouvelles.

— Salut ! Qu'est-ce que tu fais aujourd'hui ? m'a-t-elle demandé.

— Rien et toi ?

— Rien.

— Tu veux venir chez moi ?

— Oui. Tout de suite ?

– Ouais. Je ne sais pas ce qu'on fera, mais on trouvera bien.

– D'accord, j'arrive.

Carla a pris son vélo et est venue chez moi en un temps record. Je l'ai accueillie à la porte et on a filé dans ma chambre.

– Mary Anne, en venant ici j'ai pensé à quelque chose. Sais-tu ce que nous avons oublié de faire ?

– Quoi ?

– Chercher à savoir si ton père et ma mère s'étaient connus dans leur jeunesse.

– C'est vrai ! me suis-je exclamée. Ta mère allait-elle au lycée de Stonebrook ?

– Ouais ! Et ton père ?

– Ouais ! C'est fou, non ?

– En quelle année ton père a passé le bac ?

– Je n'en sais rien.

– Quel âge a-t-il ?

– Voyons. Quarante et un ans. Non, quarante-deux.

– Vraiment ? Maman aussi.

– Tu veux rire ! Je parie qu'ils se connaissent. Viens, on va lui demander.

Nous nous sommes ruées dans le couloir et nous avons croisé papa en haut des escaliers.

– Mary Anne, je dois aller au bureau. Je rentrerai dans l'après-midi. Réchauffe le ragoût pour ton déjeuner. Carla, tu es la bienvenue.

– OK. Merci papa. À plus tard.

Carla m'a donné un coup de coude. Elle voulait que je questionne mon père au sujet de sa mère, mais ce n'était pas le bon moment. Papa était pressé et il n'aime pas être embêté quand il doit partir en vitesse. Dès qu'il a été sorti, elle m'a fait remarquer d'un ton légèrement accusateur :

– Pourquoi tu ne lui as pas demandé ?

– Ce n'était pas le moment, crois-moi. Mais j'ai une autre idée. Toutes ses photos d'école sont rangées au salon. Viens, on va les regarder. Quand j'étais petite, je passais mon temps à ça.

– Oh, chouette, des photos de classe ! s'est écriée Carla.

Dans le salon, nous avons trouvé plusieurs albums de photos.

– Pourquoi y en a-t-il autant ?

– Il y a ceux de ma mère et ceux de mon père, de la maternelle à la terminale. Voilà les photos du lycée de Stonebrook. Ce sont celles de papa, puisque maman allait au lycée à Ithaca. Qu'est-ce qu'on regarde d'abord ?

– Celles de terminale, a répondu Carla avec empressement. De quelle année date cette photo ? Oh ! L'année où maman a passé le bac aussi ! Alors, ils étaient peut-être dans la même classe…

L'année où papa avait passé son bac était inscrite en grands chiffres blancs, au-dessus de la photo de classe. Nous avons plissé les yeux pour mieux voir le cliché en noir et blanc. Les élèves avaient un drôle d'air vieillot. En dessous, il y avait des commentaires qui ne voulaient pas dire grand-chose pour nous. Je me demandais si les gens qui les avaient écrits se souviendraient encore aujourd'hui de ce qu'ils avaient voulu dire vingt-cinq ans plus tôt.

Tout à coup, nous avons éclaté de rire.

– Regarde les cheveux de cette fille ! dis-je. Elle les a gonflés avec une pompe à vélo ou quoi !

Carla s'est roulée par terre, pliée de rire.

– On dirait la coiffure du Roi-Soleil !

– Attends, mon père a aussi des tonnes de vieux disques.

J'ai fouillé dans une étagère pour les montrer à Carla.

– Ce ne sont que des chanteuses : Brenda Lee, Joan Baez et quelques groupes : les Beach Boys, les Beatles. Regarde la fille de la photo. Ses cheveux ressemblent à ceux de Joan Baez sur cette pochette !

Carla a pouffé.

– Maintenant cherchons ton père.

– Le voilà ! C'est bien lui. Waouh ! J'avais oublié comme il avait l'air bizarre ! Il ne ressemble pas du tout à mon père. On dirait un inconnu !

– Il avait dix-sept ans, mais il fait plus, a estimé Carla. Il avait les cheveux en brosse. Vite ! Cherchons si maman est sur la photo.

Tout excitées, nous avons scruté chaque visage…

– La voilà ! a crié Carla. Mais on dirait qu'elle n'a rien écrit.

— Si, regarde.

Nous nous sommes penchées un peu pour déchiffrer ce qui était écrit en tout petit :

Très cher Fred,

— Fred ! C'est mon père, mais personne ne l'appelle Fred ! me suis-je esclaffée.

Surprise, Carla a poursuivi sa lecture :

Quatre ans n'ont pas suffi. Restons ensemble, envers et contre tout. Comment pourrions-nous nous séparer ? Nous avons encore un été, profitons-en bien.

À toi pour toujours,
S.E.P.

— S.E.P. ? me suis-je étonnée.

— C'étaient les initiales de maman avant son mariage.

Nous nous sommes regardées avec de grands yeux.

— J'ai l'impression qu'ils se connaissaient bien, a finalement commenté Carla.

— Je te l'avais dit ! Je te l'avais dit !

11

Carla et moi, nous avions failli avoir une crise cardiaque en lisant ce qui était écrit sous la photo de terminale de papa.

Nous étions d'accord pour ne pas en parler à nos parents, sans trop savoir pourquoi d'ailleurs.

Nous avons passé le reste de la journée à en discuter. Le lendemain, dimanche, nous sommes allées chez Carla regarder la photo de terminale de sa mère.

Nous avons eu du mal à trouver l'album, car il était encore dans un carton sur lequel était inscrit : « cuisine ».

– Cuisine ? ai-je lu sans comprendre.

Carla a haussé les épaules.

– Ne t'en fais pas, c'est comme ça avec ma mère.

Sous la photo, mon père avait écrit :

Pour Sharon,

Ne marche pas devant moi, je ne pourrais pas te suivre. Ne marche pas derrière moi, je ne pourrais pas te guider. Marche à mes côtés, et sois simplement mon amie.

Amour toujours,

Fred.

— Les gens deviennent de vrais poètes au lycée, remarqua Carla. À moins qu'il ait copié ça quelque part...

Je l'ignorais. Mais, bien plus intéressant que le mot écrit par papa, il y avait, pressée entre les pages, une rose séchée entourée d'un ruban jauni.

Même si j'avais fait le serment de sauver le Club des Baby-Sitters, j'avais également d'autres choses en tête. Carla et moi, nous avions passé la semaine à parler de nos parents. Nous nous posions des millions de questions, mais nous ne pouvions qu'essayer de deviner les réponses.

— D'où vient la rose, à ton avis, Mary Anne ?

— Il la lui avait donnée pour aller au bal, à mon avis. Je parie qu'ils sont allés ensemble au bal de fin d'année. Je me demande comment ils étaient habillés.

— Hé ! En principe, les parents prennent toujours des photos de leurs enfants, juste avant qu'ils ne partent pour le bal, non ?

— Oui, effectivement. Le garçon, en smoking, passe prendre la fille (en robe de soirée) pour l'emmener au bal. Alors les parents de la fille les font poser devant la cheminée du salon pour la traditionnelle photo de bal, qu'ils enverront à la famille du garçon.

J'ai pouffé avant de continuer :

— Tu crois que nos parents en ont fait une ?

— Eh bien, elle doit être quelque part. On pourrait voir si ma mère avait une rose entourée d'un ruban de satin.

Mais nous n'avons pas réussi à mettre la main sur cette photo.

Nous nous demandions aussi ce que ces mystérieux messages sous les photos pouvaient bien signifier.

— « Nous avons encore un été », répétais-je pensivement.

— On dirait qu'ils savaient qu'ils devraient rompre à la fin de l'été.

— Mais pourquoi auraient-ils dû rompre ?

— Je ne sais pas.

— Et que voulait dire ta mère par « envers et contre tout » ?

— Quelqu'un n'était peut-être pas d'accord pour qu'ils sortent ensemble, mais ma mère et ton père étaient trop amoureux pour renoncer à se voir.

— Pourquoi les empêcher de se voir ?

— Je ne sais pas, Mary Anne. Mais je suis sûre que quelqu'un les désapprouvait.

— Mais nous ne saurons pas qui, ni pourquoi.

Le samedi, il s'est produit un autre événement qui a détourné mon attention des problèmes du club. La pire expérience de toute ma carrière de baby-sitter !

Plus tôt dans la semaine, Mme Prezzioso avait appelé pour demander une baby-sitter pour Jenny, le samedi tout l'après-midi. Bien que les Prezzioso soient des gens bizarres, j'aime bien Jenny. J'avais donc accepté d'y aller.

J'ai sonné chez les Prezzioso à treize heures trente précises. Un instant après, j'ai entendu des pas derrière la porte.

— Hé, Jenny ! ai-je soufflé. Demande d'abord qui est là.

— Oh, oui ! Qui est là ?

— C'est Mary Anne Cook, la baby-sitter.

— Est-ce que je te connais ?

J'ai soupiré.

— Oui, je suis Mary Anne. Tu me connais.

La porte s'est ouverte.

— Salut, Mary Anne !

Jenny portait une robe bleu ciel avec un col blanc, un collant blanc, des chaussures blanches et un ruban blanc dans les cheveux. La journée allait être rude !

Sa mère est apparue derrière elle.

— Bon, a-t-elle commencé en lissant un pli inexistant de sa robe de cocktail en soie noire, nous partons à Chatham assister à un match de basket.

Elle portait une robe de cocktail pour aller à un match de basket ?

— L'équipe de l'université de mon mari joue contre ses principaux adversaires. Nous partons en voiture retrouver des amis, nous assisterons au match et nous irons dîner de bonne heure. Nous serons de retour à vingt heures au plus tard. Je suis un peu inquiète à l'idée d'aller si loin, a-t-elle ajouté. (Chatham est à une heure de Stonebrook.)

– Ne vous inquiétez pas, tout ira bien, l'ai-je rassurée.

– Je vous ai laissé des tas de numéros de téléphone : celui du pédiatre de Jenny, celui du gymnase où a lieu le match, celui des voisins d'à côté et tous les autres numéros d'urgence.

– Bien, merci.

J'ai alors remarqué que Jenny était anormalement calme. Je me demandais ce que ça cachait. Mais je n'ai pas eu le temps de m'apesantir sur la question car M. Prezzioso a descendu les escaliers. Il portait un jean et un polo rayé. J'étais sûre que sa femme et lui avaient dû se disputer à ce propos. C'était peut-être pour cela que Jenny était si calme.

Je l'ai observée. Elle était assise dans un fauteuil du salon, la tête en arrière. Elle semblait nous écouter.

Cette fois, Mme Prezzioso ne m'a pas demandé ce que je pensais de leur tenue. Franchement, je trouvais normal que son mari se soit habillé ainsi. Mais j'étais navrée qu'ils se soient disputés et que Jenny en soit bouleversée.

Enfin, après mille recommandations et instructions, les Prezzioso sont partis. Jenny ne leur a même pas fait un signe de la main pour leur dire au revoir.

– Que veux-tu faire aujourd'hui ? Nous avons tout l'après-midi pour jouer.

Jenny a fait la moue.

– Rien.

– Tu ne veux rien faire du tout ?

Elle a croisé les bras.

– Non.

– Allez, viens. Il ne fait pas si froid dehors. Tu veux savoir si Claire Pike veut jouer avec toi ?

– Non-non-non-non !

Pour une si jeune enfant, Jenny a vraiment du coffre !

– D'accord, d'accord, ai-je dit en pensant « Quelle enquiquineuse ».

Un peu plus tard, je lui ai fait remarquer que j'avais apporté le coffre à jouets.

– Je sais. J'ai vu.

Ce qu'elle ne savait pas, c'est que j'avais retiré tout ce qui pouvait être salissant. L'album à peindre, par exemple, était resté sur mon lit.

J'ai fait une dernière tentative.

– Tu veux qu'on lise une histoire ?

Jenny a haussé les épaules.

– Pourquoi pas ?

Enfin ! Quel soulagement ! Je lui ai montré *Le Petit Chaperon rouge* et *La Belle au bois dormant*.

– Lequel ?

Nouveau haussement d'épaules. J'ai choisi *Le Petit Chaperon rouge*.

– Viens t'asseoir sur le canapé à côté de moi.

Sans un mot, Jenny s'est levée et est venue se blottir contre moi. Je me suis mise à lire. J'en étais à la partie la plus palpitante de l'histoire quand je me suis aperçue que Jenny ne bougeait plus. Elle s'était endormie.

« C'est drôle, ai-je pensé. Mme Prezzioso m'a dit que Jenny avait dormi tard ce matin et ne ferait certainement pas la sieste. »

Et pourtant, elle dormait profondément, et il n'était même pas deux heures. J'ai allongé Jenny sur le canapé. C'est là que j'ai senti comme elle était chaude. J'ai posé la main sur son front. Il était brûlant. Je l'ai secouée gentiment.

– Jenny ! Jenny !

– Mmmm.

Elle a marmonné mais ne s'est pas réveillée. Le cœur battant, je me suis précipitée dans la salle de bains fouiller dans l'armoire à pharmacie. Le thermomètre à la main, j'ai redescendu les escaliers en courant. Bien que Jenny dorme toujours, je lui ai mis le thermomètre sous sa langue.

41,5° ! Jamais je n'avais vu une fièvre pareille. J'ai tout de suite téléphoné au pédiatre de Jenny, mais je suis tombée sur un répondeur qui m'a dit que le docteur rappellerait quand il pourrait. Moi, je ne pouvais pas attendre longtemps. J'ai appelé les Pike, pas de réponse. J'ai appelé les voisins d'à côté, pas de réponse. J'ai même appelé mon père, bien qu'il m'ait dit qu'il allait faire des courses.

Que faire ? Je n'osais pas téléphoner aux autres membres du club, j'ai donc décidé d'appeler Carla. Tout de suite, elle m'a répondu :

– J'arrive !

En l'attendant, j'ai téléphoné au gymnase à Chatham en laissant un message pour les Prezzioso dès que possible. Je savais qu'ils n'étaient pas encore là-bas.

Quand Carla est arrivée, je lui ai montré Jenny endormie sur le sofa.

– Le pédiatre n'a pas encore rappelé ?

J'ai secoué la tête.

– On pourrait appeler une ambulance, mais elle n'a que de la fièvre, ce n'est pas comme une jambe cassée ou un truc de ce genre.

– Oui, a fait Carla. Si maman était là, elle nous aurait conduites aux urgences, mais elle a emmené mon frère au centre commercial. Tu n'as qu'à composer le 15. Ils te diront si ça vaut la peine de faire déplacer une ambulance.

C'était une bonne idée. Carla s'est assise près de Jenny pendant que je téléphonais. Un homme, à la voix calme et agréable, a décroché.

– Voilà, je garde une petite fille de trois ans. Elle s'est endormie et je me suis aperçue qu'elle avait de la fièvre, 41,5°. Et je n'arrive à joindre ni ses parents, ni mon père, ni les voisins et j'ai appelé le pédiatre mais je suis tombée sur son répondeur. Il n'a toujours pas rappelé et je suis vraiment inquiète.

– Très bien. Calmez-vous, m'a-t-il conseillé, les jeunes enfants peuvent avoir de fortes fièvres, qui sont juste le signe d'une infection banale. Parfois, ce n'est rien du tout. Quoi qu'il en soit, 41,5° c'est beaucoup et il faudrait la faire examiner immédiatement. La meilleure chose à faire c'est de vous rendre aux urgences, à l'hôpital.

– Mais je n'ai que douze ans. Je ne conduis pas.

– Et vous avez essayé de joindre les voisins ?

– Oui. Plusieurs d'entre eux même. Et mon père.

– Bon. Je vous envoie une ambulance, alors. Donnez-moi votre adresse.

Je la lui ai donnée. Puis il m'a expliqué comment préparer Jenny pour la transporter et comment lui mettre des compresses froides sur le front en attendant l'ambulance.

– OK, Carla, ai-je crié, en courant dans le salon. Une ambulance va arriver. La personne à qui j'ai parlé m'a dit ce qu'il fallait faire en attendant.

Je lui ai répété ce que m'avait dit l'homme au téléphone.

– Je fais la compresse, prépare ses affaires, a proposé Carla.

Je suis allée chercher le manteau et les gants de Jenny dans le placard, je les ai mis à côté d'elle sur le sofa, mais je ne les lui ai pas enfilés. Inutile de lui donner encore plus chaud.

Carla est revenue avec un torchon humide en guise de compresse. Je l'ai appliqué sur le front de Jenny.

– Oh, tu sais quoi ? Dans la cuisine, il y a le numéro du gymnase de Chatham. Appelle-les. Qu'on prévienne les Prezzioso de venir immédiatement aux urgences de l'hôpital de Stonebrook. J'ai déjà laissé un message pour qu'ils rappellent ici, mais ils risquent de ne trouver personne.

Carla a téléphoné puis a guetté l'arrivée de l'ambulance par la fenêtre.

– Essaie de réveiller Jenny. L'ambulance arrive.

– OK… Viens, Jenny jolie.

Je l'ai secouée doucement et j'ai tenté de l'asseoir, mais elle est retombée comme une poupée de chiffon.

– La sieste est finie. Réveille-toi.

Jenny a entrouvert les yeux.

– Désolée, Jenny. Je sais que tu ne te sens pas bien, tu dois voir un docteur.

Ça l'a un peu réveillée.

– Le docteur ! a-t-elle répété.

Elle m'a laissée lui mettre son manteau et ses gants, pendant que Carla faisait entrer les ambulanciers. Ils portaient une civière.

– C'est cette petite fille ? a demandé un des hommes.

– Oui, ai-je expliqué. Elle a beaucoup de fièvre, mais elle n'est pas blessée. Je ne crois pas que vous ayez besoin de la civière.

Ils semblaient de mon avis. Carla a attrapé sa veste et la mienne, tandis que l'homme soulevait gentiment Jenny et l'emmenait dans l'ambulance.

– Ferme la porte d'entrée à clé, ai-je crié à Carla par-dessus mon épaule.

Les ambulanciers ont installé Jenny, toujours somnolente, dans l'ambulance et je suis montée avec elle. Carla est montée devant à côté du chauffeur.

Je n'avais jamais mis les pieds dans une ambulance, mais j'étais trop inquiète pour Jenny pour bien en profiter.

En chemin, les ambulanciers ont repris la température de Jenny (toujours la même), vérifié son pouls et sa tension, écouté son cœur. Ils ne cessaient de lui parler et de lui poser des questions.

– C'est juste pour la tenir éveillée, m'ont-ils expliqué.

Une fois à l'hôpital, un des ambulanciers a porté Jenny à l'intérieur. Nous l'avons suivi, Carla et moi. Une infirmière nous a fait entrer dans une petite pièce, puis elle s'est mise à poser des questions sur Jenny. J'ai répondu de mon mieux.

– Ses parents vont arriver. Ils pourront vous en dire plus, ai-je finalement dit.

Elle a hoché la tête et m'a assuré :

– Un médecin va l'examiner dès que possible.

Puis elle a quitté la pièce. Elle est revenue peu après avec une compresse et a disparu à nouveau.

Carla et moi, on se regardait.

– Alors quoi ?

– Il faut attendre, je suppose.

J'ai remis la compresse en place sur le front de Jenny.

– Comment tu te sens ? lui ai-je demandé.

Elle semblait un peu moins mal, mais elle était toujours aussi brûlante.

— J'ai chaud et j'ai mal à la gorge et à la tête.

— Le docteur sera bientôt là et il va te soigner.

— Regarde ce que j'ai apporté, a ajouté Carla.

— C'est qui, elle ? a demandé Jenny en la voyant.

— C'est mon amie, Carla Schafer.

— Bonjour… Alors, qu'est-ce que tu as apporté ?

— Ça.

Carla lui a montré *Le Petit Chaperon rouge*.

— Oh, chouette ! s'est écriée Jenny.

Je venais de commencer à lire, quand un médecin femme est entrée.

— C'est Jenny Prezzioso ?

— Oui. Je suis Mary Anne Cook, sa baby-sitter.

— Voyons un peu de quoi il s'agit.

Elle a examiné Jenny avec délicatesse.

— Ça m'a tout l'air d'une bonne angine, a-t-elle conclu au bout d'un moment. Je vais lui faire une prise de sang et des prélèvements, mais je ne pense pas que ce soit très grave… Où sont ses parents ?

Je le lui ai expliqué, puis j'ai regardé l'heure.

— S'ils ont bien eu le message que je leur ai laissé, ils devraient arriver ici dans une demi-heure environ.

Le docteur a hoché la tête.

— Elle peut rester ici jusqu'à leur arrivée. Pendant que nous ferons les examens, une infirmière va essayer de faire baisser sa température. J'aimerais parler à ses parents avant qu'elle ne reparte.

L'infirmière est venue faire une prise de sang à Jenny, ce qui l'a fait pleurer. Les prélèvements dans sa gorge lui ont donné des haut-le-cœur. Mais lorsqu'elle lui a donné un bain, Jenny semblait tout heureuse. Sa température a baissé d'un degré et demi. Quand les Prezzioso sont arrivés, Jenny s'est mise à hurler. Elle commençait à se rétablir !

12

Mme Prezzioso était proche de l'hystérie. Elle s'est précipitée dans la salle où se trouvait sa fille, en sanglotant, puis l'a serrée contre elle en lui écrasant le visage contre sa robe de cocktail.

– Oh, mon bébé ! Mon ange, comment te sens-tu ?

Le docteur est revenue parler aux Prezzioso, et leur a assuré que Jenny allait déjà mieux.

– Je vais vous faire une ordonnance et vous donner un rendez-vous pour la revoir lundi. Et j'ai besoin que vous me remplissiez quelques papiers.

– Pourquoi ne te chargerais-tu pas de ça, chérie, a dit M. Prezzioso à sa femme, pendant que je ramènerai Mary Anne et Carla chez elles ? Je reviendrai te chercher ainsi que notre petit ange.

Carla et moi, nous avons donc laissé le petit ange avec sa mère et nous avons suivi M. Prezzioso jusqu'à sa voiture.

– En fait, il faudrait retourner chez vous, ai-je expliqué. J'ai laissé des affaires dans le salon et le vélo de Carla est là-bas.

En chemin, le père de Jenny n'arrêtait pas de nous dire, à Carla et à moi, comme nous avions fait du bon travail et comme il était fier de nous.

– J'espère que ça ne vous ennuie pas que j'aie appelé une amie, ai-je dit avec appréhension. J'avais vraiment besoin d'aide et je n'ai pu joindre ni les voisins ni mon père.

– Pas du tout, tu as fait ce qu'il fallait. Laisser un message au gymnase était également une bonne idée. Comment avez-vous emmené Jenny à l'hôpital ?

Je lui ai raconté toute l'aventure, et il a eu l'air impressionné.

– Merci, Mary Anne. Et à toi aussi, Carla. Je veux que vous sachiez que je ne serai jamais inquiet tant que Jenny sera entre vos mains.

« Oh là là, ai-je pensé, c'est un vrai compliment. »

Quand Carla a eu repris son vélo et moi le coffre à jouets, M. Prezzioso nous a donné vingt dollars à chacune.

– Pour vous récompenser du travail bien fait, déclara-t-il.

– Merci ! Merci beaucoup !

– Oh, oui, a renchéri Carla. Vous n'aviez vraiment pas besoin de me donner d'argent.

– Vous l'avez bien mérité, a conclu M. Prezzioso en repartant pour l'hôpital.

– Tu veux venir chez moi un moment ? ai-je proposé à Carla.

Il faisait gris et il bruinait. Le temps idéal pour passer le reste de l'après-midi à s'amuser à la maison.

J'avais retrouvé deux autres albums photos et, par un incroyable effort de volonté, j'avais réussi à ne pas les feuilleter sans Carla.

– Bien sûr. Fais-moi juste penser à téléphoner à maman pour lui dire où je suis.

Carla a roulé lentement jusque chez moi tandis que je marchais à ses côtés. Mon père n'était pas encore rentré. Carla a appelé sa mère, qui n'était pas chez elle non plus, et lui a laissé un message sur le répondeur.

Puis, on s'est fait des sandwichs, qu'on a mangés dans la cuisine, tout en discutant de notre aventure.

– Tu ne trouves pas Mme Prezzioso bizarre ? ai-je dit. Tu as vu sa robe noire si chic ? C'est ce qu'elle met pour aller voir un match de basket !

– Et elle appelle Jenny son ange.

– Ouais. Son mari fait la même chose. Mais je l'aime bien.

– Il est généreux, a admis Carla. Vingt dollars, dis donc !

Nos sandwichs avalés, j'ai proposé à Carla de monter à l'étage.

– Je veux te montrer quelque chose.

Une fois dans ma chambre, j'ai sorti les deux vieux albums photos de sous mon lit.

— On n'a pas encore regardé ceux-là, ai-je expliqué à Carla. Je n'ai aucune idée de ce qu'on va y trouver, peut-être des photos du bal.

Assises côte à côte sur mon lit, nous avons ouvert le premier album.

— Ces photos sont anciennes, a fait Carla.

— C'est vrai.

Elles avaient jauni. Aucun des visages sur les photos ne m'était connu.

— Je ne reconnais personne, ai-je avoué.

— Tu sais ce qui serait drôle ? C'est que ces albums ne concernent pas ta famille, qu'ils appartiennent à quelqu'un d'autre, qu'ils soient arrivés là par erreur et que tu cherches à reconnaître des visages connus sans jamais les trouver.

Quelle drôle d'idée ! Je me suis mise à rire. Mais je me suis arrêtée net, car soudain, mon regard était tombé sur la fenêtre de la chambre de Kristy. Elle me fixait. Comme il faisait noir dehors, les lampes étaient allumées et je savais qu'elle nous voyait parfaitement, assises côte à côte sur mon lit, en train de rire.

Kristy paraissait furieuse (bon, elle était jalouse), mais elle semblait aussi… peinée ? Elle se sentait peut-être trahie. Je sais que c'est méchant, mais j'étais ravie. Je n'étais plus l'ancienne Mary Anne, celle qui dépendait de Kristy pour se faire des amies et qui disait amen à tout ce qu'elle disait ou faisait. J'étais capable de me débrouiller toute seule. D'avoir mes propres amies. Pour qu'elle le comprenne bien, j'ai passé le bras autour des épaules de Carla et j'ai tiré la langue à Kristy. Elle m'a rendu la pareille.

— Mary Anne, mais qu'est-ce… ? s'est étonnée Carla.

Puis elle a tourné la tête et a vu Kristy à sa fenêtre.

— Qui est-ce et que fais-tu ? m'a-t-elle demandé.

Kristy a baissé son store d'un coup sec.

— J'ai déjà vu cette fille quelque part. Au collège, n'est-ce pas ?

— Oh, c'est juste Kristy Parker, autant dire personne.

Carla a eu l'air sceptique.

— Comment se fait-il, alors, que vous vous tiriez la langue, hein ?

J'ai pris ma respiration, mais avant que j'aie pu dire un mot, Carla a poursuivi :

— Et pourquoi viens-tu juste de mettre ton bras autour de mes épaules ? Tu voulais que Kristy le voie ?

— Eh bien, en fait, Kristy et moi étions amies.

Il fallait bien lui dire la vérité, un jour ou l'autre.

— Et vous vous êtes disputées, c'est ça ?

Carla a posé l'album et s'est levée.

— Mary Anne, le premier jour où nous nous sommes rencontrées, tu m'as dit que tu étais seule parce que tes amies étaient toutes absentes. Kristy était-elle une de ces amies ?

— Oui…

— Ensuite tu m'as fait croire qu'elles étaient toujours absentes, a-t-elle continué, songeuse. Ça m'a semblé assez bizarre, mais j'avais tellement besoin de me faire des amis que j'ai décidé de ne pas poser trop de questions. Pourquoi m'as-tu dit qu'elles étaient absentes ?

– Nous venions de nous disputer et nous étions toutes fâchées…, ai-je avoué.

Carla a hoché la tête. Elle avait vraiment l'air écœuré.

– Alors, tu m'as menti.

– En quelque sorte, oui, ai-je reconnu.

– Depuis le premier jour, tu m'as menti.

Je ne savais pas quoi répondre.

– Tu sais, ne pas dire la vérité est aussi grave que de dire des mensonges. Tu n'as pas arrêté de me mentir, tu te rends compte ?

– Non ! Non ! C'est faux ! me suis-je soudain écriée.

– Comment puis-je croire une menteuse ? Je vais te dire ce que je pense. Tu t'es servie de moi quand tu cherchais une nouvelle amie… Non, laisse-moi parler, Mary Anne.

Elle a poursuivi sans me laisser me défendre.

– J'ai tout compris. Adieu.

Carla a dévalé bruyamment les escaliers.

J'ai couru à la fenêtre qui donnait sur la rue et j'ai vu ma dernière amie s'éloigner sur son vélo. Alors je me suis jetée sur mon lit, en larmes.

13

J'ai passé le reste de l'après-midi à me morfondre dans ma chambre. Mon père m'a téléphoné pour me dire qu'il ne serait pas de retour avant dix-huit heures et me demander de préparer le dîner.

Dès qu'il est rentré, nous sommes passés à table. Papa a essayé d'engager la conversation, mais je n'avais aucune envie de parler. Soudain, le téléphone a sonné.

– J'y vais, a dit papa. Je pense que c'est un client.

Il a décroché l'appareil.

– Allô… Pardon ?… Quels antibiotiques ? Oh, vraiment ?… Non. Non, elle ne m'en a pas… Eh bien, je suis très flatté de l'entendre. Je suis fier d'elle également… Je lui ferai part de ces bonnes nouvelles.

Papa a haussé les sourcils en me regardant.

– Qu'est-ce qui se passe ? ai-je demandé du bout des lèvres.

Il a secoué la tête, l'air de dire : « Tu le sauras dans une minute. »

– Oui. Mais je le ferai, a-t-il continué. Parfait…
Merci beaucoup. Au revoir.

Mon père a raccroché, perplexe.

– Mary Anne, s'est-il passé… quelque chose de
spécial aujourd'hui ?

J'étais si bouleversée par ma dispute avec Carla que
je n'avais que ça en tête.

Mais comment papa aurait-il pu être au courant ?
Ce n'était sûrement pas Mme Schafer au téléphone.
Papa avait dit qu'il était fier de moi. Brusquement, je
me suis souvenue de Jenny Prezzioso. Mais tout ça me
semblait si loin !

– Oh, mon Dieu ! me suis-je écriée. Comment ai-
je pu oublier de t'en parler ? Oui, je… qui était-ce au
téléphone ?

– Mme Prezzioso. Elle appelait pour me dire combien elle était contente de ce que tu avais fait cet après-
midi et aussi pour confirmer que Jenny avait bien une
angine, mais qu'elle allait beaucoup mieux. J'étais un
peu gêné de ne pas savoir de quoi elle me parlait. Je
crois que je ne connais toujours pas toute l'histoire.
Mme Prezzioso parlait très vite et n'arrêtait pas de faire
allusion à un ange.

J'ai souri.

– C'est Jenny. Les Prezzioso l'appellent leur petit
ange.

– Eh bien, raconte-moi tout cela, ça m'a l'air
passionnant.

— Voilà, je gardais Jenny et je l'ai trouvée étonnamment calme et grognon. Tout d'abord, je ne me suis pas inquiétée, car elle est souvent de mauvaise humeur. Mais elle s'est endormie pendant que je lui lisais un livre. Je lui ai alors touché le front et je me suis aperçue qu'elle était brûlante. J'ai pris sa température. Papa, elle avait 41,5° !

— 41,5° !

— Oui. Je n'arrivais pas à y croire non plus. J'ai appelé son pédiatre, qui était absent, puis les voisins. Mais personne n'était là…

— Moi non plus.

— Ni toi ni la mère de Carla. Mais Carla est venue et m'a suggéré d'appeler le 15. Je leur ai expliqué ce qui se passait et ils ont envoyé une ambulance. Quand j'y repense, je suis surprise de tout ce que j'ai su faire. J'ai appelé le gymnase à Chatham pour prévenir les Prezzioso. J'ai suivi toutes les instructions que m'avait données la personne qui m'a répondu au 15 et j'ai pensé à fermer à clé chez les Prezzioso, quand nous sommes parties avec l'ambulance.

Papa m'a souri.

— Mme Prezzioso a dit qu'elle était fière de toi. Je le suis aussi.

— Vraiment ?

— Oui.

Il a soupiré.

— Tu grandis, là, sous mes yeux, a-t-il avoué comme si c'était une découverte pour lui.

– J'ai douze ans.

– Je sais. Mais ça ne veut pas dire grand-chose, ça dépend des personnes. C'est comme pour les vêtements. Telle personne trouvera superbe un certain polo qui sera hideux pour une autre. Pour l'âge, c'est pareil. Tout dépend des personnes.

– Tu veux dire que certains enfants de douze ans peuvent déjà sortir seuls quand d'autres ont encore besoin de baby-sitters ?

– Exactement.

– Oh… Et moi… (j'osais à peine poser la question)… je suis plus mûre que tu ne le pensais ?

– Oui. Oui, je crois, Mary Anne.

– Tu penses que je suis… (oh, pourvu qu'il dise oui)… assez grande pour faire du baby-sitting un peu plus tard ?

Papa n'a pas répondu tout de suite, mais il a fini par dire :

– Vingt-deux heures, ça me semble un peu tard pour les soirs de la semaine. Que dirais-tu de neuf heures et demie la semaine, et dix heures le vendredi et le samedi ?

– Oh, papa, c'est génial ! Merci !

J'ai voulu me lever pour l'embrasser, mais nous ne sommes pas très démonstratifs dans la famille, alors je me suis rassise. Puis j'ai eu une idée de génie.

– Papa, je veux te montrer quelque chose. Je reviens tout de suite.

J'ai couru dans ma chambre, défait mes tresses et je me suis coiffée soigneusement. Mes cheveux tombaient sur mes épaules, ils étaient ondulés à force d'avoir été tressés. Puis je suis retournée dans la cuisine et je me suis plantée devant mon père.

— Comment tu me trouves ?

Son visage sérieux s'est éclairé.

— Charmante, a-t-il été forcé de reconnaître.

— Est-ce que tu penses que je pourrais me coiffer comme ça ? Je veux dire, de temps en temps.

Papa a hoché la tête.

— Et peut-être, ai-je poursuivi en espérant ne pas en demander trop, pourrais-je enlever Pinocchio des murs de ma chambre et le remplacer par un poster de Paris ?

Je pourrais lui parler d'*Alice au pays des merveilles* un autre jour.

Papa était d'accord. Il a ouvert les bras. Je m'y suis précipitée et il m'a serrée contre lui.

— Merci, papa !

Avant d'aller au lit, ce soir-là, j'ai écrit deux lettres, l'une à Kristy, l'autre à Carla. Les deux pour m'excuser.

14

Lundi

Les membres du club sont fâchés depuis plus d'un mois. Je n'arrive pas à y croire. Claudia, Kristy, Mary Anne, j'espère que vous voudrez bien lire ce que j'écris. Je croyais que vous étiez mes amies, mais peut-être que je me trompe. C'est idiot de se disputer comme ça, je veux que vous le sachiez.

Je crains que le goûter d'anniversaire de Simon, demain, ne soit un vrai désastre. Si nous continuons comme ça, il faut s'attendre au pire.

P.-S. : si quelqu'un veut faire la paix, je suis prête.

Lucy avait à la fois tort et raison. Le goûter de Simon fut presque un désastre, pourtant, il fut bénéfique. Mais j'anticipe. Revenons au lundi, le jour où Lucy a écrit cette lettre.

En arrivant à l'école, je suis d'abord partie à la recherche de Carla. Je lui ai remis mon message et je suis restée près d'elle, pendant qu'elle le lisait. J'avais été très honnête dans ma lettre. Je lui expliquais que, plusieurs fois, je m'étais servie d'elle pour fâcher Kristy, mais que je l'aimais beaucoup et qu'elle était une de mes meilleures amies, avec ou sans Kristy. Carla l'a lue deux fois, lentement, puis elle m'a embrassée. Nous étions réconciliées. Peu après, j'ai remarqué qu'elle me fixait.

— Qu'est-ce qu'il y a ?

— Mary Anne, tes cheveux ! Où sont passées tes tresses ?

J'ai souri.

— Ça te plaît ?

— Beaucoup ! Tu es super jolie !

— Merci. J'ai l'intention de les coiffer souvent comme ça. Écoute, si j'ai pu faire la paix avec toi, je devrais pouvoir en faire autant avec Kristy.

Je lui ai montré l'autre lettre.

— C'est pour elle. Il faut que je la trouve.

Je l'ai cherchée partout, en vain.

Au moment où la sonnerie a retenti, j'ai glissé la lettre dans le casier de Kristy. Dans la journée, je l'ai aperçue plusieurs fois dans les couloirs, mais elle a fait comme si de rien n'était, exactement comme les semaines précédentes.

Avait-elle lu ma lettre ? Je m'étais peut-être trompée de casier... Ou alors elle était toujours fâchée.

Le goûter de Simon commençait à trois heures et demie cet après-midi-là. J'étais partagée entre joie et angoisse. Ça pouvait être très amusant. Mais, comme Lucy l'avait fait remarquer, ça pouvait également être un désastre.

Avec un cadeau pour Simon, j'ai sonné chez lui à trois heures et quart, pour aider sa mère.

— Coucou ! s'est écrié Simon surexcité. J'ai quatre ans ! Quatre ans, ça fait beaucoup !

— Bonjour, Mary Anne, m'a lancé Mme Newton de la cuisine. Je suis contente que tu arrives plus tôt, tu vas me donner un coup de main.

J'ai fait des paquets-surprises et préparé les boissons. Quand j'ai eu fini, la plupart des invités de Simon étaient arrivés. Le salon avait tout d'une cour de récréation. Les amis de Simon couraient partout en criant.

Mme Newton nous a prises à part, Kristy, Claudia, Lucy et moi.

— Essayez de les faire asseoir. On va ouvrir les cadeaux en premier, ça va aller vite.

Les membres du club ont hoché la tête, en évitant soigneusement de se regarder.

Kristy a pris quatre enfants et les a conduits vers le canapé en ordonnant :

— Asseyez-vous là.

Lucy en a pris quatre autres et les a fait asseoir par terre, près de la cheminée. Claudia a emmené plusieurs petites filles vers le piano.

Mais que faisaient-elles ?

— Regroupez-les tous au même endroit, ai-je conseillé.

Les trois autres m'ont jeté un regard noir.

— Oui, autour du canapé, ce sera bien, a acquiescé Mme Newton.

Kristy ne cachait pas son agacement. Simon a ouvert ses cadeaux et sa mère a proposé un jeu.

— Il m'en faut trois pour m'aider et une quatrième pour aller jeter un coup d'œil au bébé, nous a-t-elle expliqué.

Toutes les quatre, nous nous sommes ruées dans l'escalier.

— C'est moi qui y vais, a décrété Kristy.

— Non, moi, a répliqué Lucy.

— Pas vous, moi ! ai-je corrigé.

— Non, c'est moi ! s'est exclamée Claudia.

On se poussait toutes pour monter.

— Les filles ! s'est écriée Mme Newton en fronçant les sourcils.

Nous nous sommes retournées, penaudes.

— Lucy, voudrais-tu y aller, s'il te plaît ?

C'était au tour de Lucy de jubiler.

— C'est pas juste, a marmonné Kristy.

Mme Newton m'a demandé de bander les yeux des enfants, Kristy était chargée de les guider et Claudia de surveiller ceux qui attendaient leur tour pour jouer. Mme Newton a disparu dans la cuisine. Tout à coup, alors que je bandais les yeux de Claire Pike, j'ai senti quelque chose m'écraser un pied.

— Ouille !

— Oh, je suis vraiment désolée ! a fait une voix. C'est sur ton pied que j'ai marché ?

J'ai regardé Kristy, d'un air mauvais.

— Oui, c'était mon pied, Kristy Parker, ai-je répliqué avec froideur et je lui ai tiré la langue.

Le jeu s'est poursuivi sans autre incident. Tout s'est bien déroulé, jusqu'au moment du goûter. Mme Newton avait prévu que ça se passe dans la salle à manger. Il y avait des guirlandes au plafond et un nombre incroyable de ballons au milieu de la pièce. La nappe, les serviettes en papier et les verres en carton étaient décorés d'ours en peluche. Les enfants ont poussé des « Ooh » et des « Aah » en entrant. Mme Newton les a aidés à s'installer.

— Asseyez-vous aussi, les filles, ce sera plus facile pour servir les enfants.

Après un petit accrochage avec Claudia, je me suis assise près de Simon, à un bout de la table. Kristy était deux places plus loin, Lucy en face d'elle et Claudia en face de moi, à l'autre bout de la table.

— Mary Anne, pourrais-tu servir les boissons que tu as préparées, pendant que j'apporte le gâteau ? m'a suggéré Mme Newton.

J'ai pris la lourde carafe de jus de fruits pour faire le tour de la table. Arrivée à Kristy, j'ai rempli son verre à ras bord.

— Hé, fais attention ! Ça me dégouline sur les genoux !

— Oh, je suis vraiment désolée !

— Tu peux l'être, en effet.

— Toi aussi, tu pourrais l'être de m'avoir écrasé le pied et de n'avoir pas répondu à ma lettre.

— Quelle lettre ?

— Tu le sais bien.

— Pas du tout.

Kristy s'est essuyée avec une serviette en papier. À ce moment, Claudia est accourue avec une autre serviette. Elle a épongé le jus de fruits autour de l'assiette de Kristy, puis a jeté la serviette mouillée au visage de Lucy.

— Hé !

Lucy s'était levée en un éclair. Elle a couru après Claudia et lui a frotté la serviette sur le visage. La situation commençait à dégénérer.

— Maman ! a crié Simon.

On aurait dit qu'il allait pleurer. Mme Newton arrivait justement avec le gâteau d'anniversaire et les bougies allumées. Elle a demandé le silence avant de le poser sur la table.

— Les filles, mais que se passe-t-il ?

Elle a jeté un coup d'œil autour d'elle. Silence pesant. Les membres du club étaient barbouillés de jus de fruits. Je tenais la carafe au-dessus de la table où régnait un beau bazar et Lucy frottait encore la serviette sur le visage de Claudia. Une larme solitaire roulait sur la joue de Simon. Personne ne savait quoi dire.

— C'est juste un petit incident, ai-je dit au bout d'un moment. Je suis désolée, nous sommes toutes désolées.

J'ai jeté un regard lourd de sous-entendus aux autres.

— Kristy, pourquoi ne vas-tu pas te nettoyer à la cuisine ? a proposé Mme Newton.

Elle est sortie de la pièce, confuse.

— Venez, ai-je ordonné à Claudia et à Lucy. Nous allons aider Kristy. Nous revenons tout de suite.

Dans la cuisine, j'ai aussitôt pris la parole :

— Je me fiche de ce que vous pensez. J'exige que le club se réunisse immédiatement après le goûter. Tâchez de venir.

Puis je suis retournée dans la salle à manger pour servir le gâteau d'anniversaire.

15

Le goûter s'est terminé dans une drôle d'ambiance. Nous avions tellement honte de l'avoir en partie gâché, que nous nous sommes efforcées d'être gentilles avec Simon et serviables avec sa mère.

Le départ des invités a suscité une telle agitation que Mme Newton en a oublié l'incident du goûter.

En sortant de chez elle, nous nous sommes retrouvées dans la rue, mal à l'aise.

– Où pouvons-nous nous réunir ? ai-je demandé. Dans ta chambre, Claudia ?

Elle a haussé les épaules.

– Si tu veux.

– Bon. Toutes chez les Koshi, ai-je décrété.

Kristy a haussé légèrement les sourcils, mais n'a rien ajouté. Mimi nous a ouvert la porte.

– C'est un plaisir de vous revoir.

Elle voulait dire de vous revoir ensemble.

– On fait juste une petite réunion, a expliqué Claudia à sa grand-mère. Ce ne sera pas long.

– Très bien, ma Claudia.

Une fois dans la chambre de Claudia, tout le monde m'a regardée.

J'étais un peu paniquée, mais je me suis souvenue de la façon dont je m'étais occupée de Jenny, quand elle était malade. Je me suis également rappelé que je m'étais fait une nouvelle amie et que j'avais réglé certains problèmes avec mon père. J'ai pris une profonde inspiration et je me suis lancée :

– Voilà des semaines que nous sommes fâchées. Il est temps d'arrêter. Nous avons presque gâché l'anniversaire de Simon. C'était affreux. Je suis sûre que vous pensez comme moi.

Elles ont hoché la tête, penaudes.

– Alors, ou on fait la paix ou tout est fini. Je parle du club, bien sûr. Je ne sais pas ce que vous en pensez, mais j'aimerais bien continuer. Je me suis assez battue pour pouvoir y entrer.

Lucy a pris la parole.

– Je ne veux pas que le club s'arrête, non plus. Vous êtes mes seules amies ici.

– Kristy ? ai-je fait.

– Je veux faire la paix, mais quelqu'un me doit des excuses. En fait, on se doit toutes des excuses.

– Qui t'en doit ? a demandé Claudia.

– Je ne sais plus ! Je ne sais plus ni avec qui ni pourquoi je suis fâchée.

Je me suis mise à rire.

– Moi non plus !

Nous avons toutes ri ensemble.

— Pour en finir une bonne fois, ai-je proposé, nous n'avons qu'à nous demander pardon les unes aux autres. Un, deux, trois, prêt…

— Pardon ! avons-nous crié en chœur.

— Qu'est-ce qui t'est arrivé, Mary Anne ? a demandé Kristy. Tu as changé depuis notre dispute.

J'ai rougi.

— Il s'est passé des tas de choses…

— Tu te coiffes différemment, a remarqué Lucy. C'est très joli.

— Merci.

— Ton père a enfin cédé. Surprenant ! a renchéri Kristy.

— Ça n'a pas été facile. Au fait, j'ai le droit de sortir jusqu'à dix heures le week-end et neuf heures et demie la semaine.

Kristy en est restée bouche bée.

— Waouh…

On s'est mises à parler toutes à la fois. Tandis que Claudia montrait à Lucy un nouveau fard à paupières, Kristy s'est approchée de moi.

— Qu'est-ce que c'est que cette lettre dont tu m'as parlé au goûter ?

— J'ai glissé une lettre d'excuses dans ton casier ce matin. Je pensais qu'au moins tu m'en parlerais.

— Mais je ne l'ai pas lue… le cadenas de mon casier ne fonctionne plus et je n'ai pas pu l'ouvrir aujourd'hui.

– Oh… alors excuse-moi.

– Nous nous sommes assez excusées pour aujourd'hui !

Et elle m'a embrassée en signe de réconciliation.

En rentrant à la maison à six heures cinq, j'ai entendu sonner le téléphone au moment où j'ouvrais la porte. J'ai vite couru décrocher dans la cuisine.

– Allô ?

– Salut ! C'est Carla. Je suis contente que tu sois là.

– Quoi de neuf ?

– Tu ne vas pas le croire. Devine ce que j'ai trouvé dans un carton où était inscrit « Affaires de sport » ? Un album photos. Un vieux. Et devine ce qu'il y a dedans ?

– Quoi ? Quoi ?

– Une photo de bal.

– Avec ta mère et mon père ?

– Oui ! Et maman avec la rose accrochée à sa robe par un ruban blanc. Je lui ai demandé qui était le garçon et, d'une voix douce et rêveuse, elle m'a répondu : « Oh, c'était Fred Cook… Je me demande ce qu'il a pu devenir. » Alors j'ai répondu : « Il va bien. » « Comment peux-tu le savoir ? » m'a-t-elle demandé. Je lui ai expliqué : « C'est le père de Mary Anne. Il habite ici, à Stonebrook. » Et maman s'est presque évanouie !

– Waouh ! Attends… une seconde. Carla, papa est rentré. Je vais lui parler ! J'ai hâte de savoir ! Je te rappelle après le dîner. Salut !

Mais avec mon père, on n'aborde pas un tel sujet aussi facilement. J'ai attendu qu'on soit installés à table pour dîner. Je lui ai parlé de sa journée et de ses affaires, lui m'a demandé des nouvelles du collège et du club. Puis j'ai lancé négligemment :

— Papa ? Tu as connu une certaine Sharon Porter ?

Il a failli s'étrangler et a dû boire une gorgée d'eau avant de pouvoir répondre :

— Oui. Oui. Pourquoi me demandes-tu ça ?

— Je viens de découvrir que la mère de Carla est Sharon Porter et qu'elle a passé toute sa jeunesse à Stonebrook. Carla et moi, on pensait que ça serait drôle que vous vous soyez connus au lycée. Alors ? Vous étiez amis ?

Il est resté un instant silencieux.

— Oui, très bons amis. Mais on s'est séparés. Nous ne nous sommes pas revus depuis. Je ne m'entendais pas très bien avec ses parents... Après l'université, Sharon est partie en Floride. J'ai perdu sa trace... Alors, elle s'est mariée ?

— Et elle a divorcé. Elle est revenue vivre ici avec Carla et son fils David. Mais, dis... Pourquoi tu ne t'entendais pas avec les Porter ?

— C'est une longue histoire. Disons qu'ils pensaient que je n'étais pas assez bien pour leur fille.

— Grand-père était... facteur, non ? ai-je demandé, en essayant de me souvenir.

Les parents de papa sont morts quand j'étais au CP.

– C'est ça. Et M. Porter était… est un grand banquier.

– Je me demande si tu serais assez bien pour la mère de Carla maintenant.

Papa a eu un petit sourire triste.

– Ne te fais pas trop d'idées, Mary Anne.

C'est tout ce qu'il a dit.

Après le dîner, je lui ai demandé la permission de téléphoner.

– Vas-y, a-t-il répondu, perdu dans ses pensées.

J'ai appelé chez les Schafer.

– Carla ! Je sais toute l'histoire ou presque. Papa a l'air bouleversé.

Je lui ai raconté ce que j'avais appris.

– Hum… Il faut qu'on fasse quelque chose, a-t-elle décidé.

– Je suis d'accord. Oh, là, là ! me suis-je exclamée. Quelle journée ! J'ai fait la paix avec Kristy et les autres. J'aimerais bien que tu fasses partie du club aussi. Tu as été super avec Jenny. Tu as fait du baby-sitting avant de venir ici ?

– Plein de fois, oui.

Ça m'a donné une idée.

– Écoute, Carla, je dois te laisser, mais on se voit demain, d'accord ?

J'ai raccroché. J'espérais que papa me laisserait donner un autre coup de fil. Il fallait que je discute d'une chose importante avec Kristy.

16

C'est à croire que mon père a perdu la tête. Il m'a dit oui, sans hésiter quand je lui ai posé la question :

– Papa, je peux inviter les membres du club à la maison ?

Hier, vendredi, j'ai donc fait une petite fête. J'avais aussi invité Carla. J'avais parlé d'elle aux autres et elles mouraient d'envie de la rencontrer. Elles savaient que j'aurais aimé que Carla fasse partie du club. Je ne sais pas trop ce qu'elles en pensaient. La fête devait durer de dix-huit heures à vingt-deux heures. Papa et moi avions commandé une pizza géante et il est rentré tôt du bureau pour préparer une salade. Il avait un hamburger végétarien pour Lucy en raison de son diabète.

À six heures moins le quart, on a sonné à la porte.

– Les voilà ! me suis-je exclamée. Elles ne sont pas en retard ! Heureusement tout est prêt.

Nous avions prévu une réunion dans ma chambre d'abord, pour que tout le monde fasse la connaissance de Carla. Ensuite on devait dîner dans la cuisine, avec papa, il avait insisté, puis retourner dans ma chambre.

— Ne t'en fais pas, ce sera très réussi, j'en suis sûr, m'a-t-il assuré. Va recevoir tes invitées !

Mais en allant ouvrir, j'ai buté sur le carton vide de la pizza, heurté la table, renversé un verre de soda et fait tomber les épluchures des carottes.

— Oh, non !

Ma jupe en jean était trempée.

— Du calme, Mary Anne, je vais ouvrir.

Papa a ajusté ses lunettes et s'est dirigé vers la porte, pendant que je prenais une serpillière pour nettoyer par terre. J'ai mis un moment à réaliser qu'il régnait un silence inattendu.

J'ai jeté un œil dans l'entrée et j'en ai eu le souffle coupé. Carla était en train d'enlever son manteau, tandis que sa mère et mon père, debout devant la porte, se regardaient fixement.

Carla m'a souri et, en levant le pouce, m'a fait le signe de la victoire. J'ai ouvert de grands yeux, puis j'ai souri aussi. Malgré mes doigts poisseux et les bouts de carotte qui constellaient ma jupe, je suis allée les rejoindre.

— Papa, voici Mme Schafer, la mère de Carla. Madame Schafer, voici mon père, M. Cook.

J'attendais une réaction.

— Je crois que vous vous connaissez.

Mon père s'est ressaisi.

– Oui. Oui, bien sûr. Sharon, c'est formidable de te revoir. Il y a si longtemps.

– Je suis contente aussi, Fred, a fait la mère de Carla.

Fred ! J'ai plaqué ma main sur ma bouche pour ne pas éclater de rire.

– Je t'en prie, entre, a proposé mon père.

– Je voudrais bien, mais je dois aller chercher David. Ils avaient l'air tout gêné.

– Carla, tu viens m'aider dans la cuisine ? ai-je dit pour les laisser un peu tranquilles.

Une fois dans la cuisine, nous avons pu épier ce qui se passait dans l'entrée.

– Je suis content que tu sois de retour à Stone-brook, a repris mon père. On pourrait dîner ensemble un de ces soirs.

– Avec plaisir. Quand es-tu libre ?

– Quand ? a répété papa, troublé. Pourquoi pas demain soir ?

– Pas de problème.

– À demain, alors.

Carla et moi, on s'est regardées. Un rendez-vous ! Nos parents avaient rendez-vous !

Papa est revenu dans la cuisine, tout étourdi. Carla et moi l'étions aussi. Du coup, je ne pensais plus du tout à ma fête. Mais après avoir remis de l'ordre dans la cuisine, changé de jupe et accueilli les autres membres du club, j'avais retrouvé mon calme.

J'ai présenté Carla aux autres. Kristy et Carla se sont toisées avec méfiance.

– Mary Anne dit que tu as déjà fait plein de baby-sittings…, a commencé notre présidente, très pro.

– Oh, oui. En Californie, j'en faisais souvent, là où j'habitais, il y avait beaucoup d'enfants. J'ai commencé à en faire à neuf ans. J'ai dû garder tous les enfants de ma rue, à un moment ou à un autre.

– Tu as déjà rencontré des problèmes particuliers ?

Elle mettait Carla à l'épreuve. C'était son rôle.

– Elle a été super quand Jenny Prezzioso a été malade, ai-je précisé.

J'avais déjà raconté notre aventure.

Carla a enchaîné avec l'une des siennes.

– Une fois, il y a eu le feu dans la maison où je gardais des enfants. J'ai fait sortir les enfants et j'ai appelé les pompiers.

Mais Kristy insistait :

– As-tu déjà gardé un nouveau-né ?

Carla a réfléchi.

– Non, le plus jeune avait sept mois.

– Jusqu'à quelle heure as-tu le droit de sortir ? (C'était la question préférée de Kristy.)

– Il faut que je voie avec ma mère. Vingt-deux heures peut-être ? Il y a un moment que je n'ai pas gardé d'enfants, car ici je ne connais pas grand monde.

– Pourquoi as-tu déménagé ? a demandé Lucy.

Carla a baissé les yeux.

– Divorce.

— Tes parents ont divorcé ? a fait Kristy. Je connais ça. Mes parents aussi. C'est dur.

— Déménager, ça me connaît, je viens de New York. Au début, je ne trouvais pas ça terrible ici, mais maintenant, ça va beaucoup mieux, a expliqué Lucy.

— Oui ! C'est grâce aux merveilleuses amies qu'elle a rencontrées ! a affirmé Claudia en montrant les membres du club.

— Nous avons des tonnes de coups de fil. On aurait besoin d'aide, a ajouté Kristy en me faisant un clin d'œil.

Elle s'est tournée vers Claudia et Lucy, qui ont hoché la tête. Kristy m'a regardée.

— Mary Anne ? Tu veux lui annoncer toi-même ?

J'ai souri.

— Bien sûr. Carla Schafer, veux-tu faire partie du Club des Baby-Sitters ?

— Oui, avec plaisir ! s'est-elle exclamée en souriant. Merci beaucoup.

Sur ce, nous avons dévalé les escaliers pour aller manger la pizza.

— Papa ? On va dîner !

Mon père avait l'air dans les nuages. Carla et moi, nous avons échangé un regard complice. Nous savions très bien à quoi il pensait.

— Portons un toast ! ai-je proposé.

Chacune a levé sa pizza, Lucy son hamburger.

— À notre nouveau membre !

— Et merci de m'avoir acceptée au Club des Baby-Sitters, a répondu Carla.

Ann M. Martin

L'auteur

Ann Matthews Martin est née le 12 août 1955. Elle a grandi à Princeton, aux États-Unis, avec ses parents et sa jeune sœur, Jane.

Elle a été enseignante, puis éditrice de livres pour enfants, avant de se consacrer à la littérature. Pour écrire, elle s'inspire d'expériences personnelles, mais aussi de sa connaissance du monde de l'enfance et de l'adolescence.

Tous ses personnages, même les membres du Club des Baby-Sitters, sont des personnages imaginaires (ainsi que la ville de Stonebrook). Mais beaucoup d'entre eux ressemblent à des gens qu'Ann M. Martin connaît.

Ann M. Martin vit actuellement à New York et ses passe-temps favoris sont la lecture et la couture – elle aime particulièrement réaliser des habits pour les enfants.

Sa série *Le Club des Baby-Sitters* s'est vendue à plusieurs millions d'exemplaires et a été traduite dans plusieurs dizaines de pays.

Le Club des Baby-Sitters

Le papier de cet ouvrage est composé de fibres naturelles,
renouvelables, recyclables et fabriquées à partir de bois
provenant de forêts gérées durablement.

Mise en pages : Nord Compo

Loi n° 49-956 du 16 juillet 1949
sur les publications destinées à la jeunesse
ISBN : 978-2-07-066840-3
Numéro d'édition : 353224
1er dépôt légal dans la collection : février 2015
Dépôt légal : mars 2019

Imprimé en Espagne par Novoprint (Barcelone)